Mário Mascarenhas
Duas Mãozinhas no Teclado

Método de piano para crianças desde 4 anos

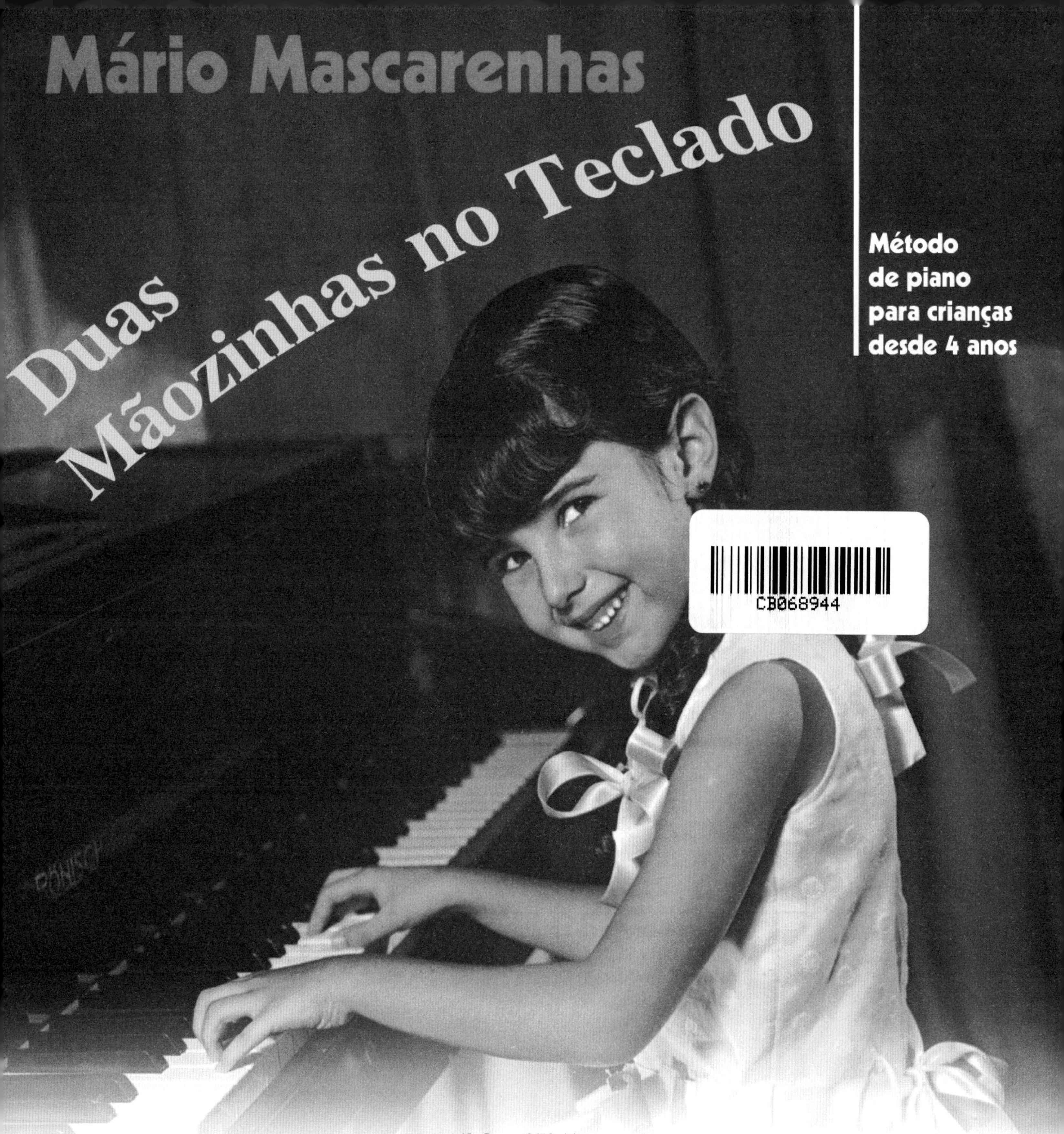

Nº Cat.: 272-M

Irmãos Vitale Editores Ltda.
vitale.com.br
Rua Raposo Tavares, 85 São Paulo SP
CEP: 04704-110 editora@vitale.com.br Tel.: 11 5081-9499

© Copyright 1970 by Irmãos Vitale Editores Ltda. - São Paulo - Rio de Janeiro - Brasil.
Todos os direitos autorais reservados para todos os países. *All rights reserved.*

Dados Internacionais de Catalogação na Publicação (CIP)
(Câmara Brasileira do Livro, SP, Brasil)

Mascarenhas, Mário
　　Duas mãozinhas no teclado : método de piano para crianças desde 4 anos : jardim da infância e 1º ano básico ou preliminar / Mário Mascarenhas ; ilustrações Buth.　　　São Paulo : Irmãos Vitale.

ISBN 85-85188-23-5
ISBN 978-85-85188-23-8

　　1. Música - Estudo e ensino 2. Piano - Estudo e ensino 3. Teclado - Música I. Buth. II. Título.

96-3735　　　　　　　　　　　　　　　　　　　　　CDD- 786.207

Indices para catálogo sistemático:

1. Piano : Método : Estudo e ensino　　786.207

Ilustrações: BUTH✽

na capa:
MARINA MIGLIETTA

PREFÁCIO

Jamais elaborei um livro com tanto amor e carinho como este.

Com o pensamento dedicado à criança, na sua inocência e no seu grande poder de assimilação e depois de grandes pesquisas e estudos sobre a psicologia infantil, cheguei à seguinte conclusão: a didática deve estar aliada a uma motivação.

Na época de hoje, não é fácil convencer a criança, com promessa de que mais tarde, com este ou aquele processo de longos exercícios, ela será pianista. Ao contrário, ela quer é agora, ver o resultado imediato e esta é a finalidade deste livro, simplificando ao máximo, pois a criança é como um lavrador impaciente, que planta e quer que a semente brote logo e floresça rápido para colher os frutos.

Esta obra, atinge perfeitamente o alvo desejado. É dividida em 3 partes, e o professor, conforme a idade e a musicalidade do aluno, resolverá por onde deverá começar. Aconselho, no entanto, que as crianças maiores e mesmo os adultos, como um passatempo bem agradável, toquem o livro desde o princípio, até que cheguem justamente no ponto onde realmente deveriam começar:

1.ª Parte — Por desenhos, dedicada ao Jardim de Infância.
2.ª Parte — Aprendizagem de noções de Teoria Musical.
3.ª Parte — Conhecimento das notas nas claves de Sol e Fá, por meio de exercícios de mecanismo e peças recreativas.

Este livro pode ser estudado, junto com "O Mágico dos Sons" também de Iniciação ao Piano. A didática destes 2 volumes é de tal maneira gradativa, tanto no mecanismo como nas peças, que o estudante irá ganhando, sem sentir, sua técnica e cada vez mais se entusiasma.

Considerando que a natureza não dá saltos, estes ensinamentos nada mais são que um trampolim para facilitar a aprendizagem do aluno, procurando alcançar com este sistema pedagógico, o fim desejado.

Mário Mascarenhas

ÍNDICE

PRIMEIRA PARTE

	Pág.
(POR DESENHOS)	7
A RODA GIGANTE VAZIA	20
A RODA GIGANTE E AS CRIANÇAS	21
A VALSA DA VOVÓ	22
AS DUAS CORNETAS	14
BOM FILHO, BOM PIANISTA	16
CAI, CAI, BALÃO	26
CAPELINHA DE MELÃO	28
ESCALA DE DÓ MAIOR NAS DUAS MÃOS	24
MÃO DIREITA	8
MÃO ESQUERDA	12
MARCHA SOLDADO	25
MINHA PRIMEIRA VALSA	19
O CAFÉ COM PÃO	13
O CÃO E O GATO	15
O LOBO MAU	14
O POBRE E O RICO	27
QUANDO O GALO CANTA	17
VAMOS APRENDER O TUM-TÁ-TÁ	18

SEGUNDA PARTE

(PAUTA, CLAVES E COMPASSOS)	30

TERCEIRA PARTE

	Pág.
(CLAVE DE SOL E FÁ)	36
A CHUVA	35
A BONECA SEM CORDA	61
A GALINHA ESTÁ CONTENTE	66
A FORMIGUINHA	54
A SOMBRA	48
APRESENTAÇÃO DO MI - RÉ - DÓ	44
BERCEUSE - BRAHMS	71
BOA NOITE	41
CARNAVAL DE VENEZA	69
CARETA NO ESPELHO	47
CAPRICHO ITALIANO	68
CRIANÇA BEM NOVINHA	48
DANÇANDO O BOOGGIE	72
DE MANHÃ QUANDO DESPERTO	40
DESENHO NA ÁGUA	49
DOIS PEIXINHOS DOURADOS	42
ESCALAS MAIORES COM SUSTENIDOS	50
ESCALAS MAIORES COM BEMOIS	51
ESCALA CROMÁTICA	51
FÉRIAS NA ESPANHA	73
FOI MÃO DE DEUS	43
FRÈRE JACQUES	58
INVENTEI UM AVIÃO	63
MEU CACHORRINHO PEQUINÊS	55
MEU MENINO JESUS	59
MINHA PRIMEIRA EXPERIÊNCIA	52
NOITE FELIZ	65
O AMANHECER	70
O ARCO-IRIS	67
O CASAMENTO DA ANDORINHA	53
O DIA É MUITO CURTO	41
O ÉCO	49
O PASTORZINHO	60
O PULO DO GATO	75
O SACI PERERÊ	37
O SOL	39
O TAMBORZINHO	56
O TROVÃO	38
SINFÔNIA DA CRIANÇA	64
PARA MAMÃE	74
POUR ELISE	76
UPA, UPA, CAVALINHO	62
VAMOS BRINCAR NO ESCORREGA	46
VÓ É MÃE DUAS VEZES	57

1ª PARTE

DEDICADA AO JARDIM DE INFÂNCIA

O piano, que é o instrumento que você vai tocar, tem um teclado como no desenho acima. Cada tecla que você aperta sai um som.

Mostre-me uma tecla branca. Aponte-me uma tecla preta.

Que cor tem a tecla que o neném está apontando?

Qual é a cor da tecla que o papavento está?

E a cor da tecla junto ao avião?

Diga-me a cor da tecla em que o passarinho pousou?

GATINHOS NO TECLADO

Repare bem que no teclado as teclas pretas estão colocadas assim: 2 pretas juntas e um grupinho de 3 pretas, 2 pretas e 3 pretas, etc.

Mão direita

Mostre-me a mão com que você bate na porta.

Os desenhos não só facilitam aos principiantes de 4 anos a descobrirem a localização dos sons, como também lhes dão a oportunidade de "aprender brincando", despertando o interesse em conhecer as notas, que aparecem logo na 2.ª parte deste método.

NOMES DOS DEDINHOS DA MÃO DIREITA

1º DEDO: POLEGAR É O DEDO GROSSO QUE ESTÁ COM DODÓI.

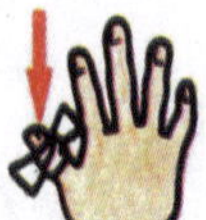

2º DEDO: FURA-BOLO É O DEDO COM QUE VOCÊ FURA O BOLO.

3º DEDO: PAI DE TODOS É O MAIOR E O MAIS COMPRIDO.

4º DEDO: SEU VIZINHO É O VIZINHO DO PAI DE TODOS.

5º DEDO: O MINDINHO É O MENOR DOS DEDINHOS DE SUA MÃO.

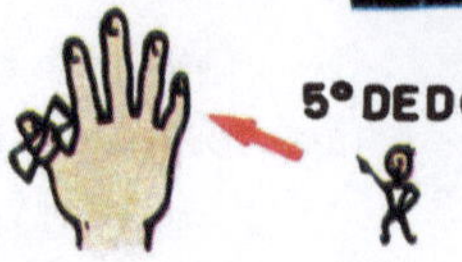

VAMOS APRENDER O

As notas musicais são sete: DÓ-RÉ-MI-FÁ-SOL-LÁ-SI, mas vamos estudar primeiro somente o DÓ-RÉ-MI-FÁ-SOL.

***

Primeiro aprenderemos onde está o Dó.

Ele é a tecla branca que se acha antes das 2 pretas.

Se você achar a fechadura do piano (onde se coloca a chave para abrí-lo), será fácil, pois o Dó está quase que em cima dela.

O dedinho que está amarrado com uma fita no dodói, chama-se polegar.

Toque o Dó com o polegar da mão direita.

RE-LÓGIO

EXERCÍCIO

1º 2 1 2 1 2 2 1

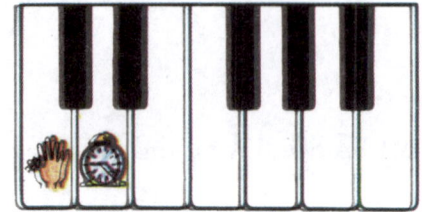

Depois do Dó, temos a nota Ré, que é a tecla branca que está entre as duas pretas.
Estes exercícios devem ser tocados e repetidos diversas vezes.

MI - AU

EXERCÍCIO

1º 2 3 2 1 2 3 1

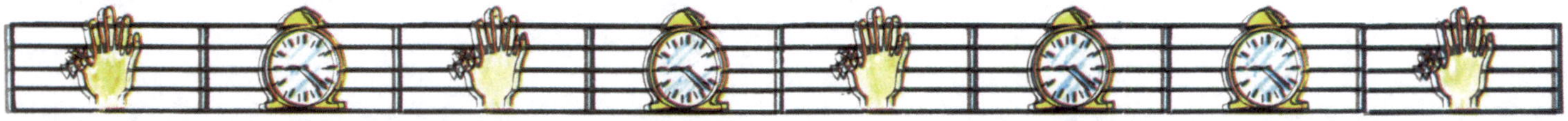

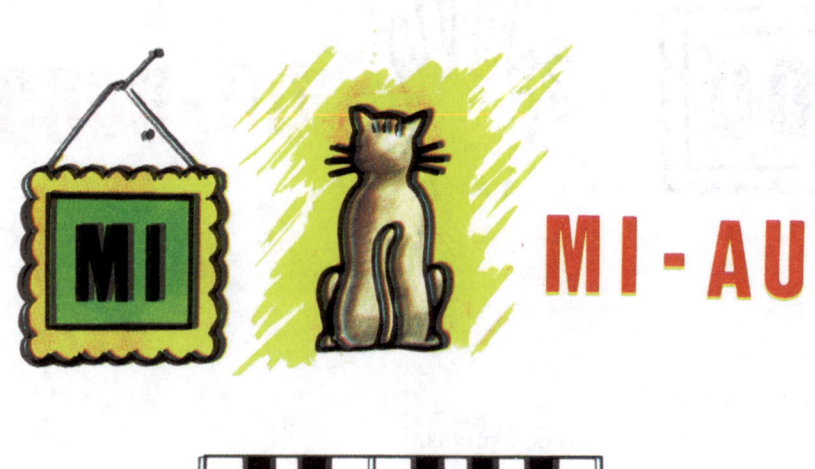

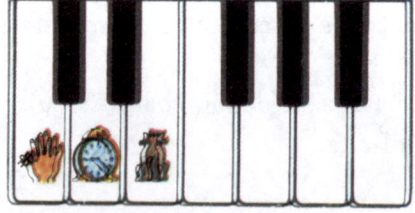

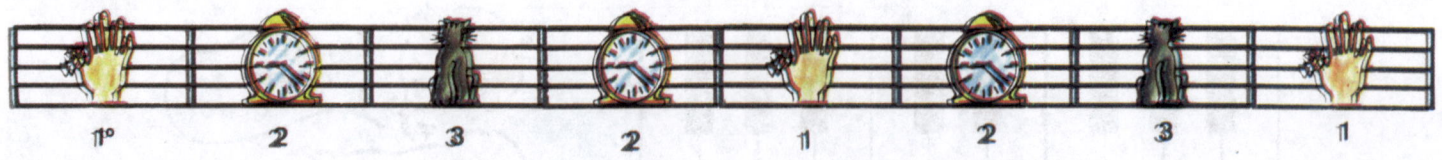

Como é que o gatinho faz?
Resposta: MIAU!!!
Pois bem, o Mi está colocado depois das duas teclas brancas.
O Mi é tocado com o dedo "Pai de todos".

EXERCÍCIO

Assim como o Dó está antes das 2 teclas pretas, o Fá está antes das 3 pretas.
Toque o Fá com o dedinho "seu vizinho".

EXERCÍCIO

Agora só falta o Sol, que está depois do Fá.
Toca-se o Sol com o "dedo mindinho".

Mão esquerda

MÃO DO CORAÇÃO

Mostre-me a mãozinha do lado do coração.

Vamos tocar o DÓ-RÉ-MI-FÁ-SOL com a mãozinha do lado do coração?

O professor procurará que o aluno descubra a localização do DÓ-RÉ-MI-FÁ-SOL, contando 8 notas para a esquerda do Dó central, onde a criança deverá colocar o "dedo mindinho" da mão esquerda no novo Dó.

PONHA AS DUAS MÃOS JUNTAS, COMO SE FIZESSE UMA ORAÇÃO.

AGORA ABRA COM OS POLEGARES JUNTOS E VEJA A NUMERAÇÃO

DUAS MÃOS JUNTAS

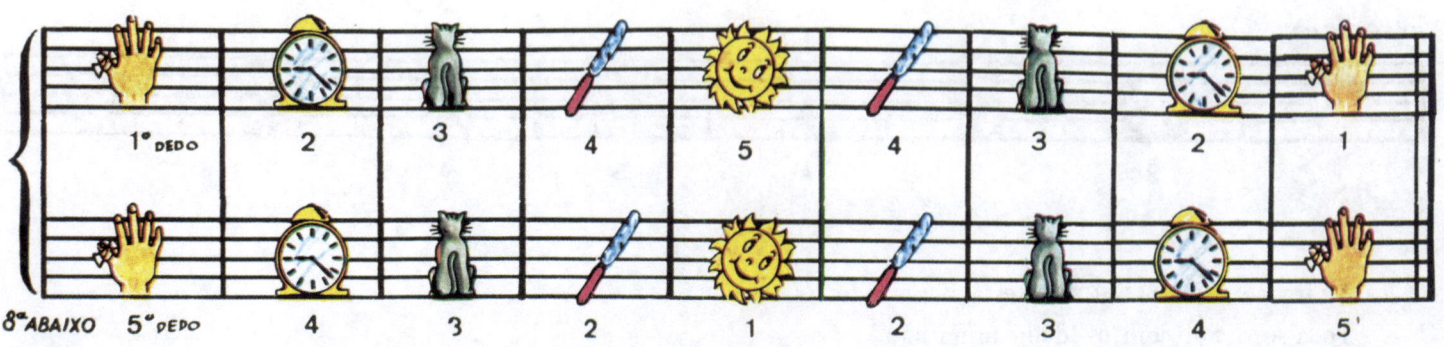

O CAFÉ COM PÃO

A MÃE (DÓ CENTRAL)

O CA-FÉ COM PÃO É MUI-TO BOM MAS COM MAN-TEI-GA É BEM ME-LHOR. CA-FÉ COM PÃO É MUI-TO BOM MAS COM MAN-TEI-GA É BEM ME-LHOR.

AO PROFESSOR

O professor mostrará ao aluno que o "Café com pão" tocado a partir do Dó central, lembra a voz da mãe.

A criança deverá descobrir depois a localização do "Café com pão" da avó, da menina e do menino.

O mesmo critério com a mão esquerda, com relação ao pai, ao avô e ao lobo mau.

NAS DUAS MÃOS

Depois que o aluno tocar toda a família, quer na mão direita ou na esquerda, poderá executar o "Café com pão" nas duas mãos, escolhendo a localização que quiser.

AS DUAS CORNETAS

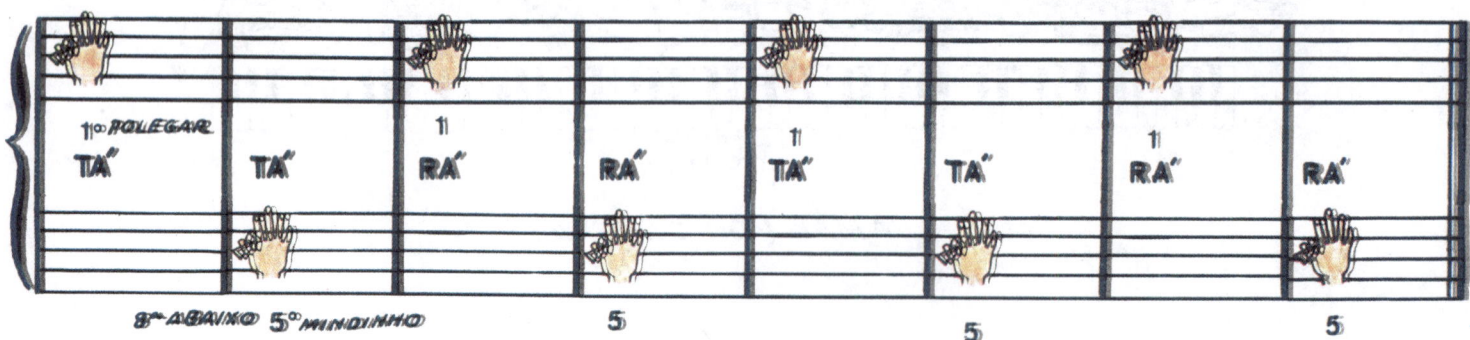

PARA O PROFESSOR

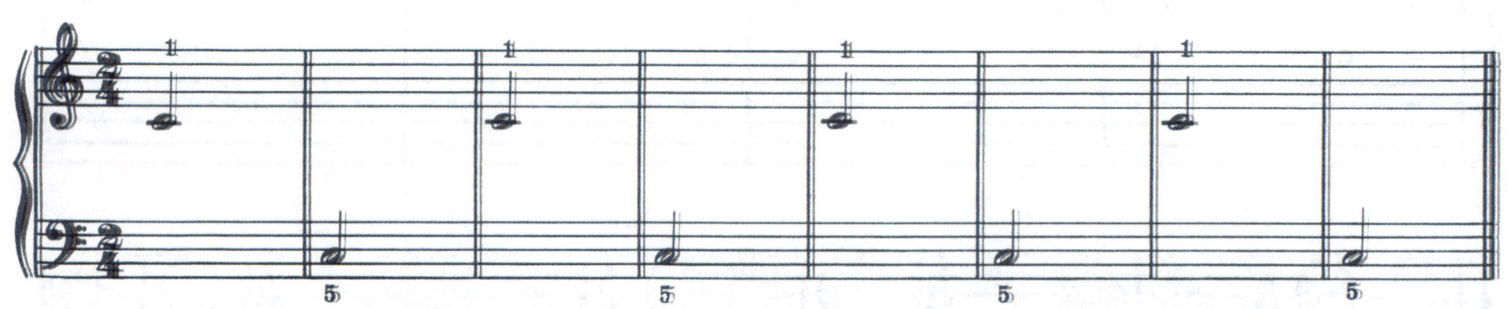

O LOBO MAU
(POR IMITAÇÃO)

O CÃO E O GATO ((POR IMITAÇÃO))

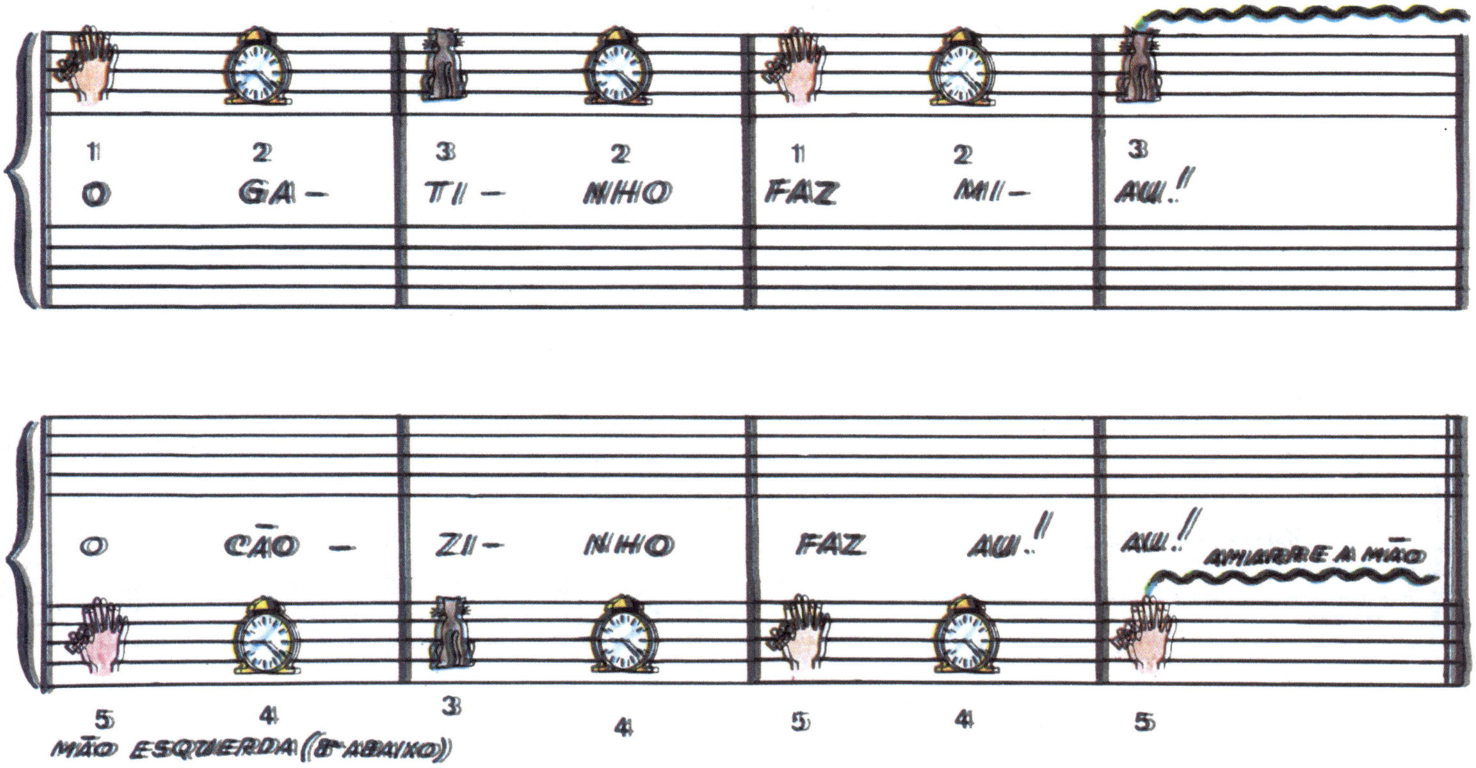

O GA- TI- NHO FAZ MI- AU!!

O CÃO- ZI- NHO FAZ AU!! AU!!

MÃO ESQUERDA (8ª ABAIXO)

PARA O PROFESSOR

O professor tocará o trecho abaixo a fim de que o aluno o imite.

As pequenas melodias são facílimas, e, conforme a idade do aluno e o seu grau de alfabetização, o professor decidirá se ele tocará por desenhos (1.ª parte) ou começará por música logo de uma vez, a partir da 2.ª parte.

As cordinhas verdes que amarram os desenhos são para prolongar os seus sons.

BOM FILHO, BOM PIANISTA

(POR IMITAÇÃO)

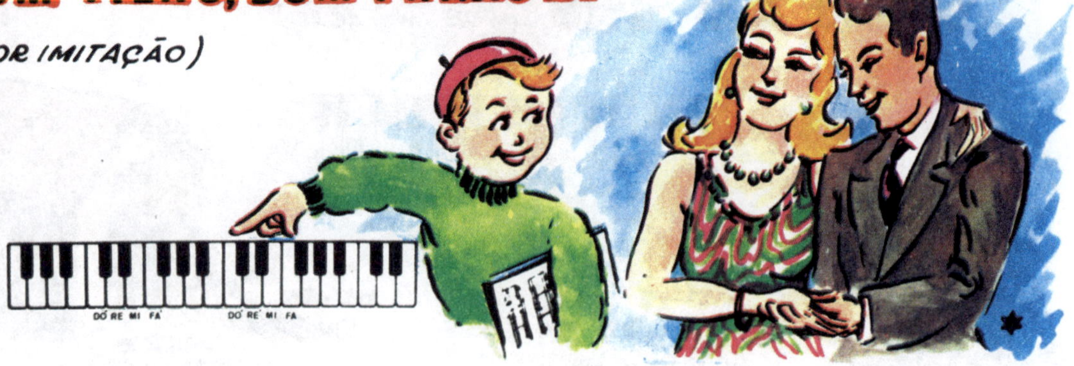

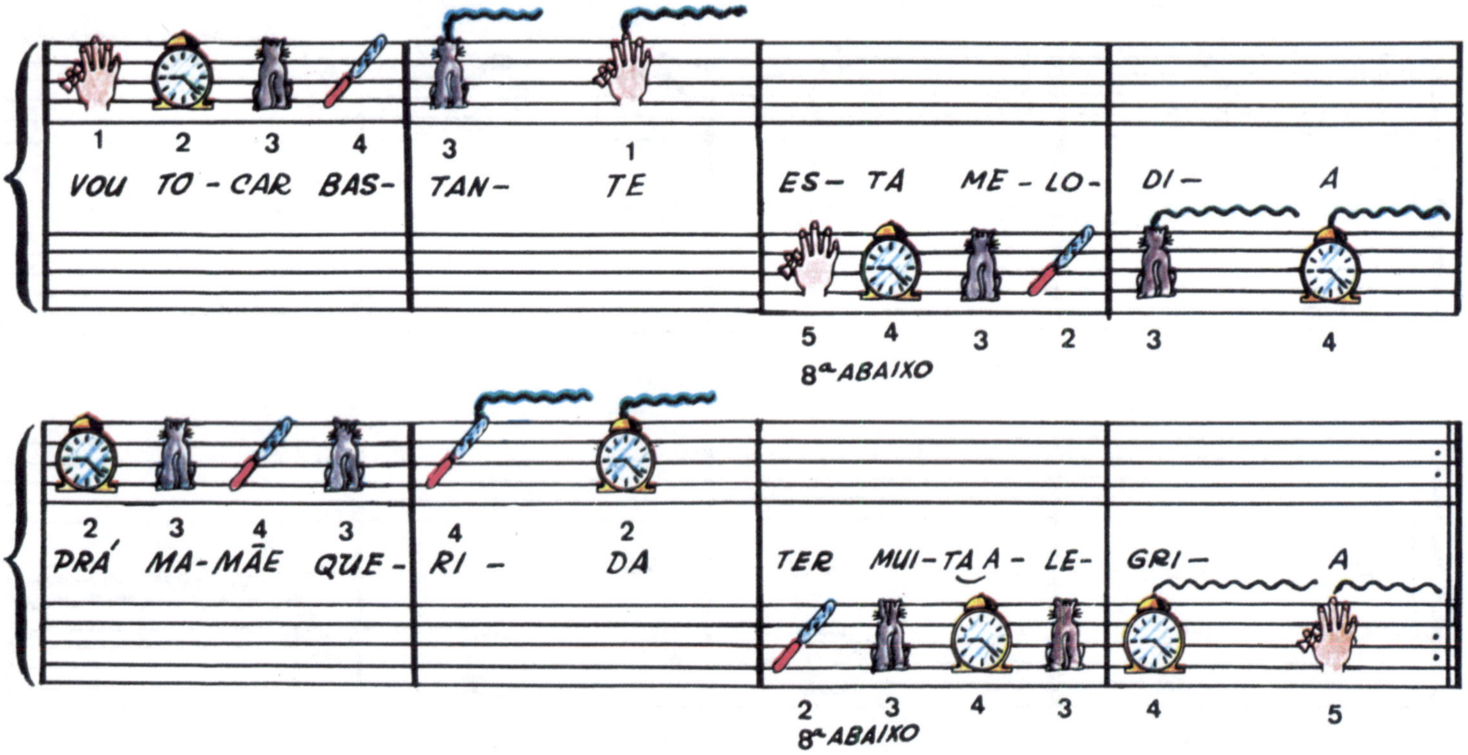

1 2 3 4 3 1
VOU TO - CAR BAS- TAN- TE
ES- TA ME - LO- DI- A
5 4 3 2 3 4
8ª ABAIXO
2 3 4 3 4 2
PRÁ MA-MÃE QUE- RI - DA
TER MUI-TA A - LE- GRI- A
2 3 4 3 4 5
8ª ABAIXO

PARA O PROFESSOR

Por imitação, o aluno pensará somente no som, não se preocupando ainda com a divisão, leitura das notas, claves, etc. Explicar que os dois pontos no final da pauta são para repetir o trecho. Observe se o aluno não está quebrando as falanges dos dedos. Procure arredondá-los bem.

1 2 3 4 3 1
5 4 3 2 3 4
2 3 4 3 4 2
2 3 4 3 4 5

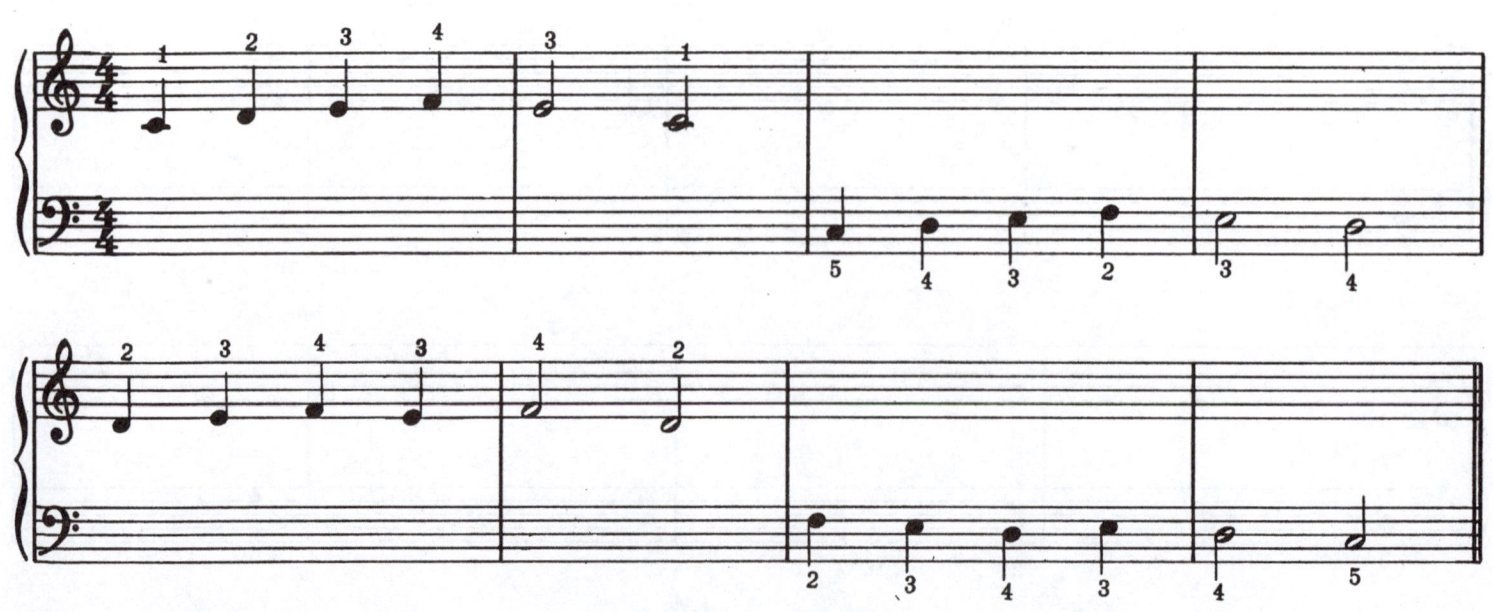

QUANDO O GALO CANTA
(POR IMITAÇÃO)

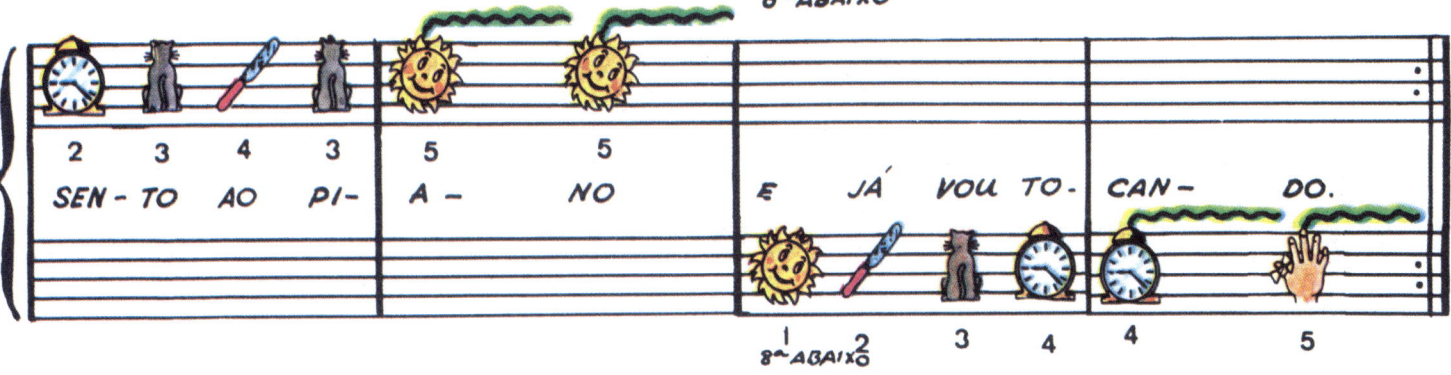

PARA O PROFESSOR

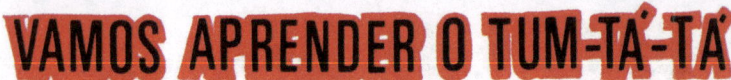

VAMOS APRENDER O TUM-TÁ-TÁ

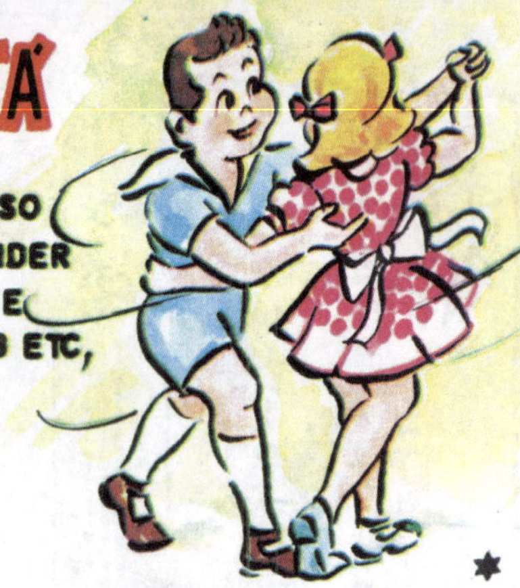

É MUITO FÁCIL APRENDER O TUM-TÁ-TÁ; É O COMPASSO QUE SE USA PARA VALSA. DEPOIS QUE VOCÊ APRENDER BEM OS DESENHOS QUE ENTRAM NO TUM-TÁ-TÁ, PODE CONTAR OS TEMPOS EM VOZ ALTA, 1·2·3 – 1·2·3 – 1·2·3 ETC, COMO SE ESTIVESSE DANÇANDO UMA VALSA.

MÃO ESQUERDA

*

TUM-TÁ-TÁ DE UM E DOIS

TUM TÁ - TÁ

8ª AB. 5 1 1 5 1 1 CONTAR OS TEMPOS EM VOZ ALTA

TUM-TÁ-TÁ DE UM E DOIS

TUM TÁ - TÁ

8ª AB. 4 1 1 4 1 1 CONTAR OS TEMPOS EM VOZ ALTA

TUM-TÁ-TÁ DE E DE

8ª AB 5 1 1 5 1 1 4 1 1 4 1 1 5 1 1

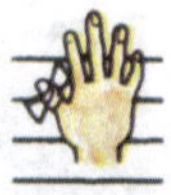

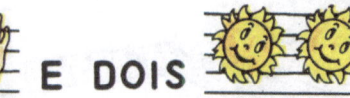

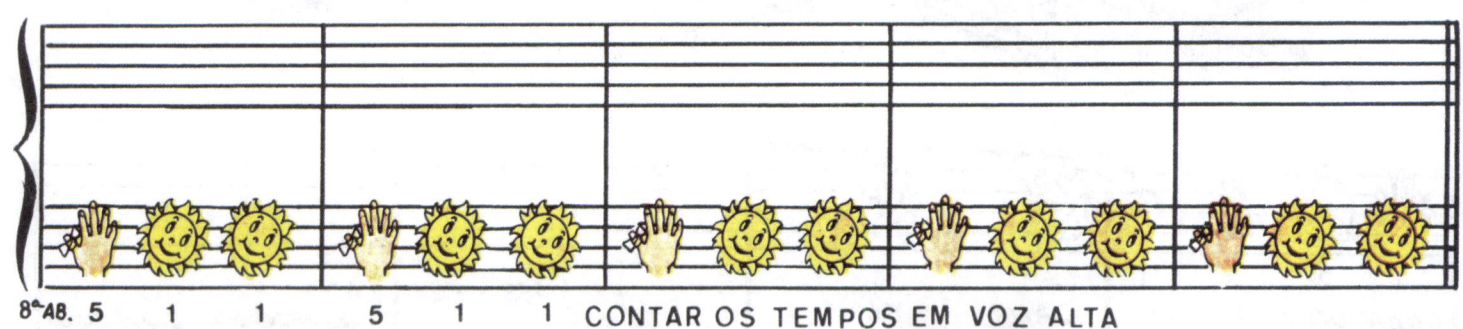

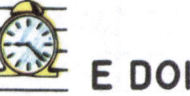

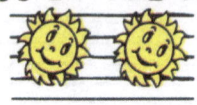

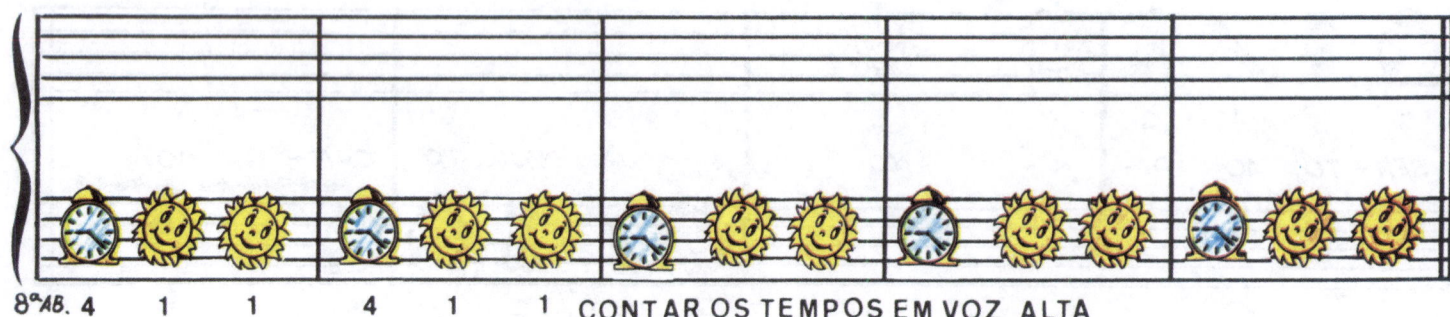

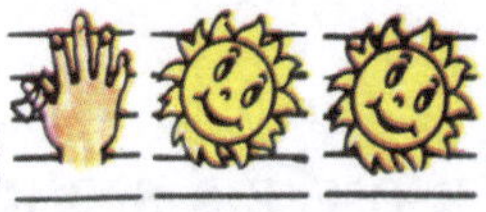

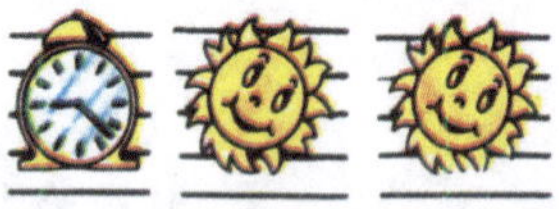

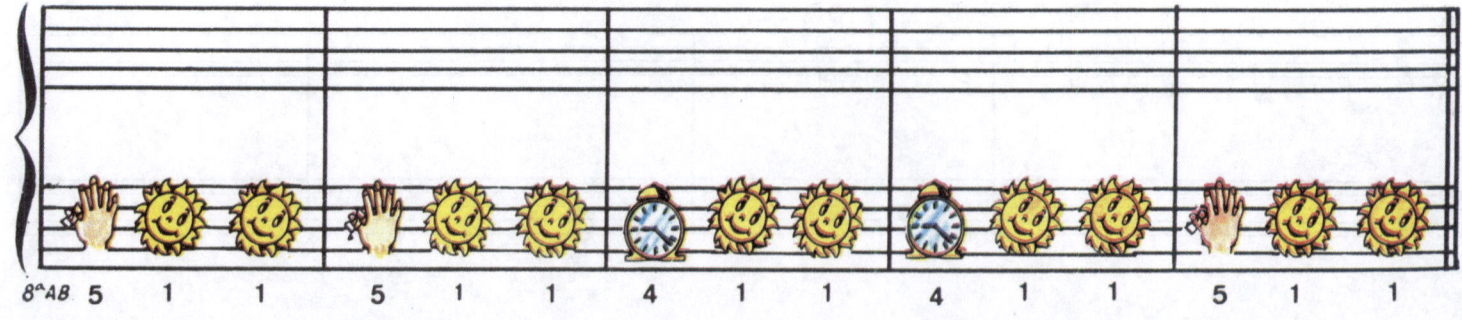

PARA O PROFESSOR

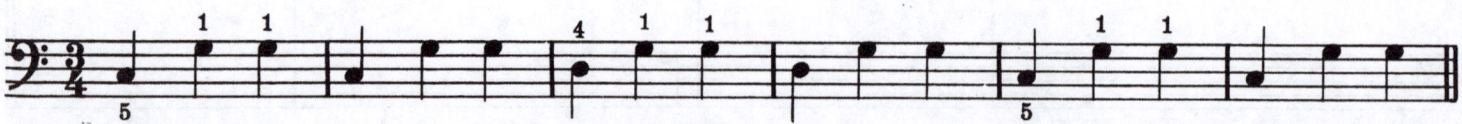

MINHA PRIMEIRA VALSA

Os desenhos que têm uma linha que parece uma cordinha, são para demorar na nota, prendendo-a até acabar as de baixo. Amarre o gato, amarre o Sol, etc., até dar o Tum-tá-tá de cada nota que tiver a cordinha para amarrar.

PARA O PROFESSOR

A RODA GIGANTE VAZIA

SÓ MÃO ESQUERDA

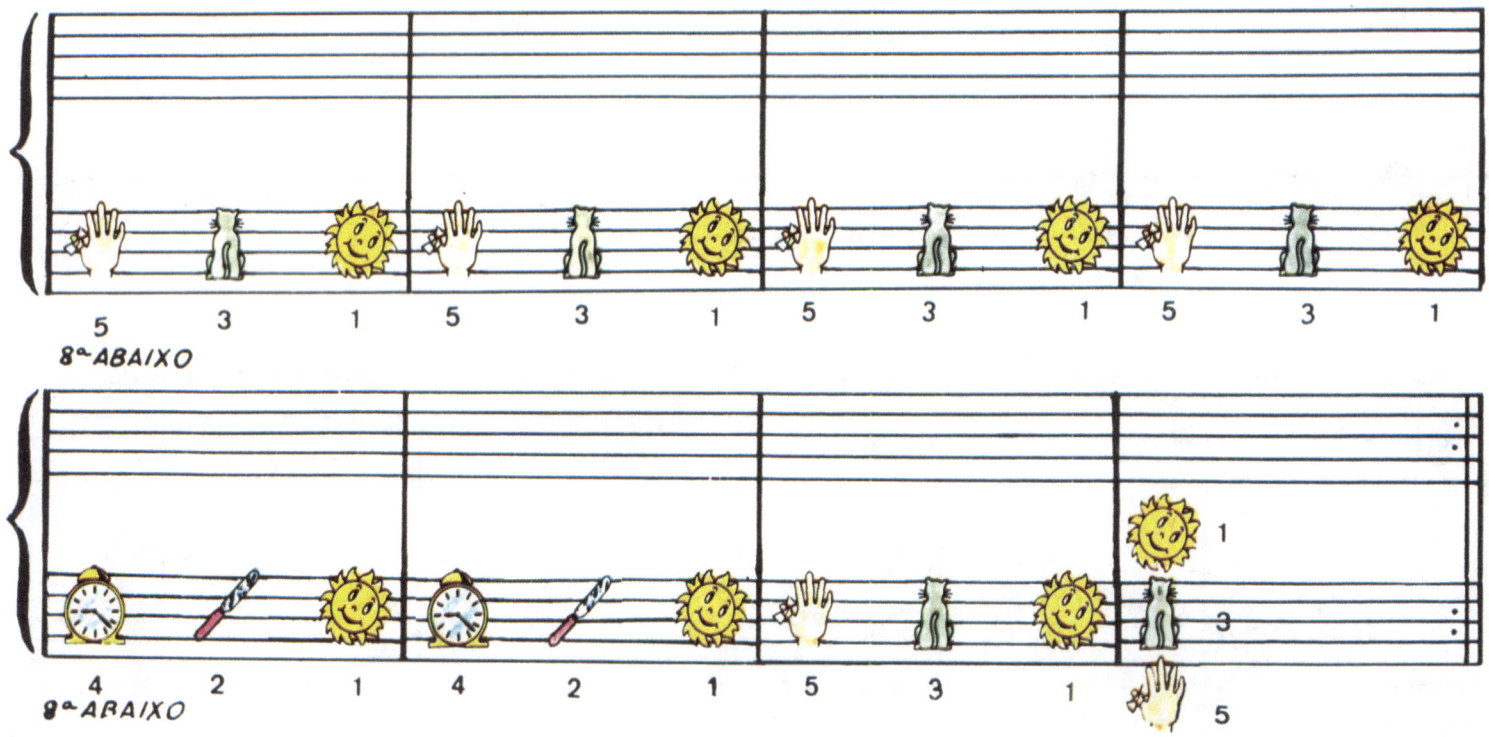

Acorde: 3, ou mais notas tocadas juntas.

PARA O PROFESSOR

A mão esquerda do aluno deverá tocar com muita igualdade, imitando o movimento da "Roda gigante". Depois de bem seguro poderá executar a "Roda gigante e as crianças", na página ao lado.

A RODA GIGANTE E AS CRIANÇAS
TIRO AO ALVO

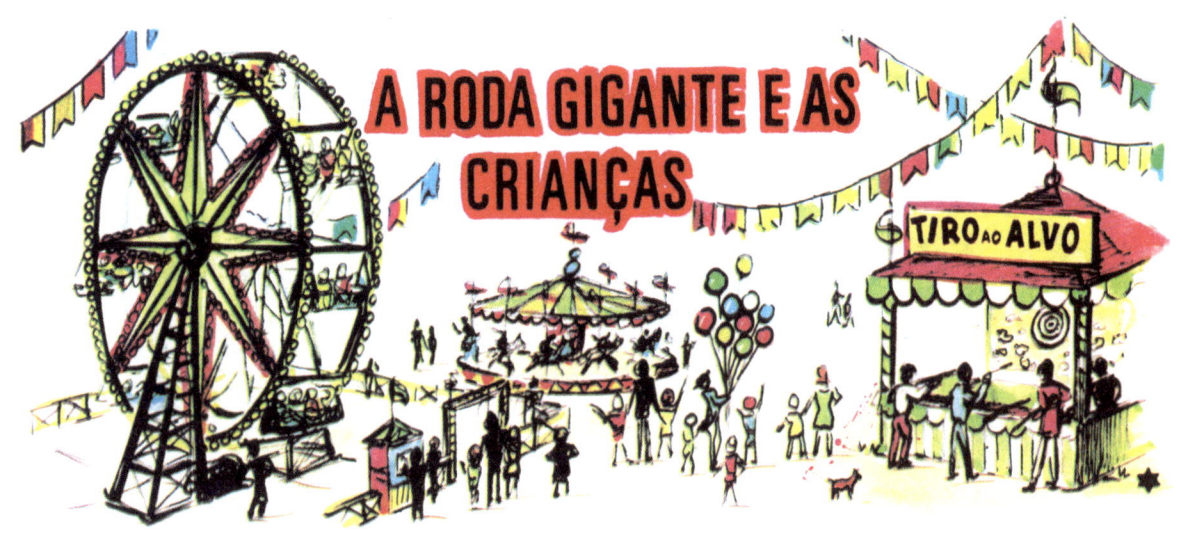

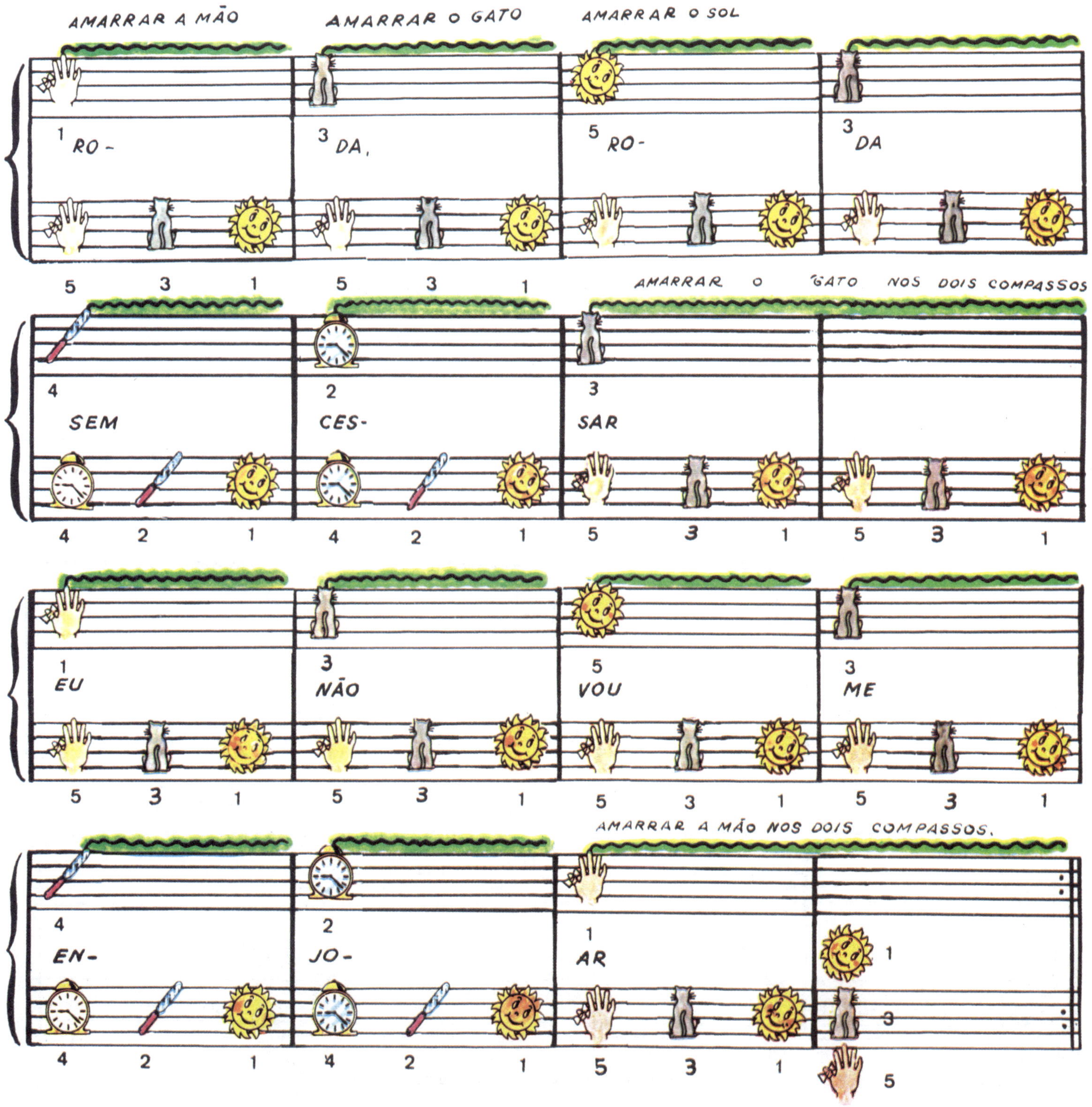
AMARRAR A MÃO
AMARRAR O GATO
AMARRAR O SOL
1 RO-
3 DA,
5 RO-
3 DA
5 3 1 5 3 1
AMARRAR O GATO NOS DOIS COMPASSOS
4 SEM
2 CES-
3 SAR
4 2 1 4 2 1 5 3 1 5 3 1
1 EU
3 NÃO
5 VOU
3 ME
5 3 1 5 3 1 5 3 1 5 3 1
AMARRAR A MÃO NOS DOIS COMPASSOS.
4 EN-
2 JO-
1 AR
1 3 5
4 2 1 4 2 1 5 3 1

AINDA FALTAM O LÁ E O SI

Agora que você conhece bem o DÓ-RÉ-MI-FÁ-SOL, vou apresentar-lhe mais duas notas novas: o Lá e o Si. Está lembrado de que antes eu ensinei que as notas eram 7: DÓ, RÉ, MI, FÁ, SOL, LÁ, SI? Pois bem, com estas duas notas novas completamos a série dos 7 sons musicais.

VAMOS CHAMAR UM NOVO DÓ?

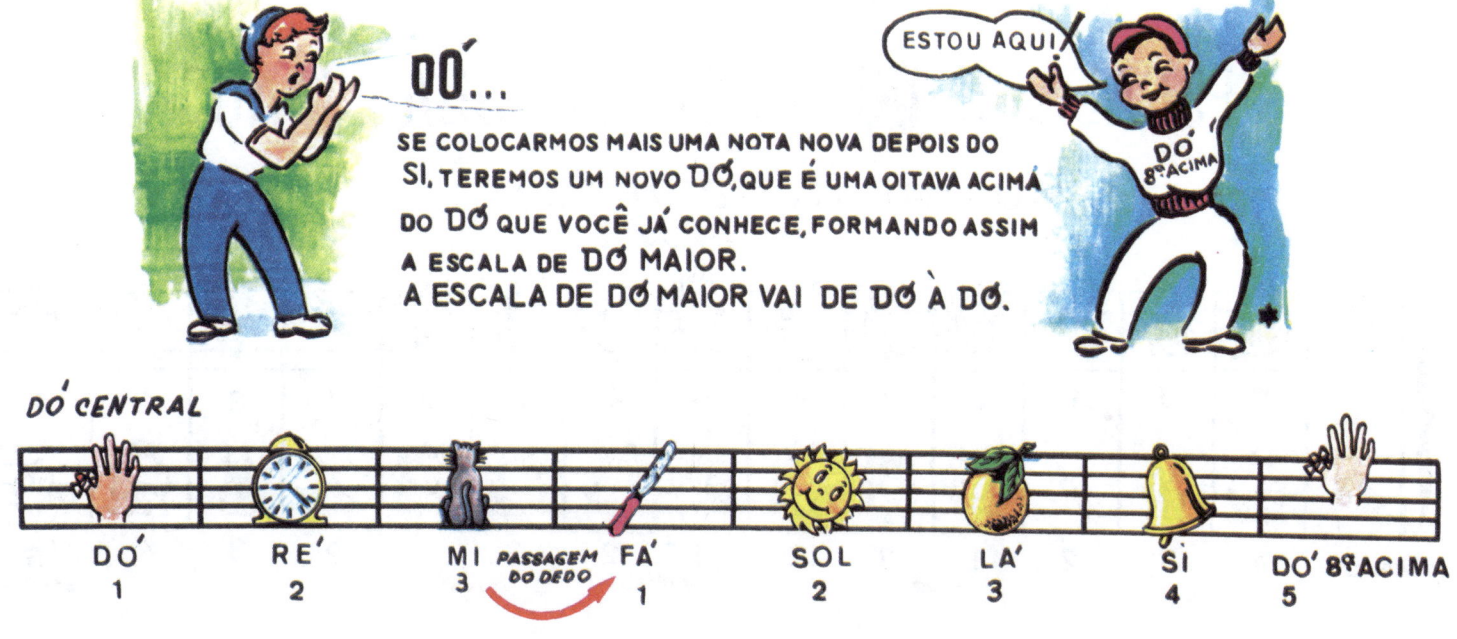

A escala de DÓ MAIOR, como já disse, vai de Dó a Dó.

Acontece, porém, que como você tem somente 5 dedinhos, ficam faltando 3 para tocar as 8 notas, então precisamos fazer uma passagem de dedos, a fim de completar a escala. Depois que tocar as 3 primeiras notas, passe o polegar (1.º dedo) por baixo do 3.º e toque então as outras 5 notas restantes.

Na mão esquerda já a passagem é após usar os 5 dedos, passando o 3.º por cima do polegar (1.º dedo).

Exercite bem a escala só na mão direita e logo após, na mão esquerda, também sozinha. Depois procure uní-las, isto é, tocando a escala nas duas mãos juntas (movimento direto). Quando estiver perfeita, seu professor lhe ensinará como tocá-la em movimento contrário, que é mais fácil.

ESCALA DE DÓ MAIOR NAS DUAS MÃOS
(MOVIMENTO DIRETO)

MARCHA SOLDADO

FOLCLORE BRASILEIRO

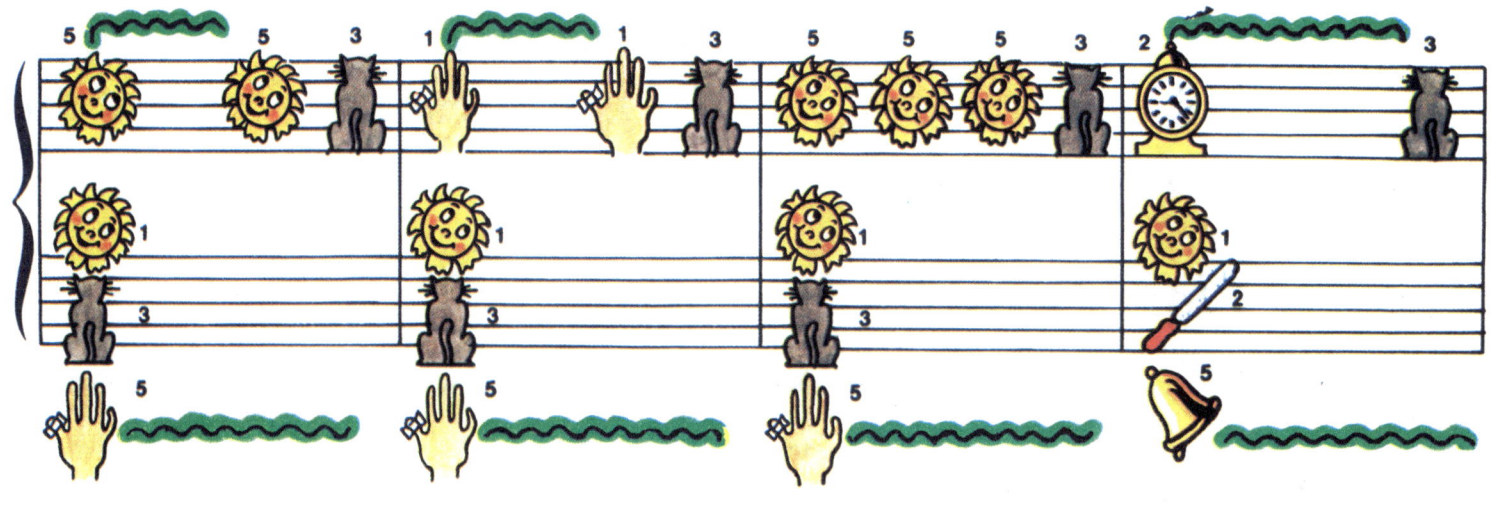

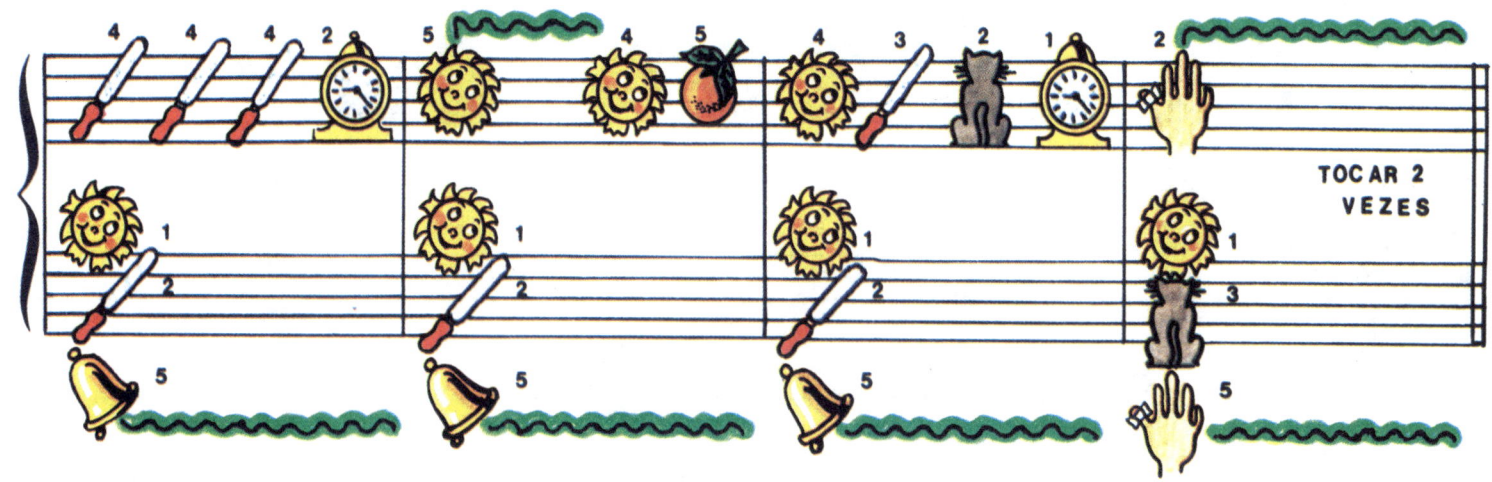

PARA O PROFESSOR

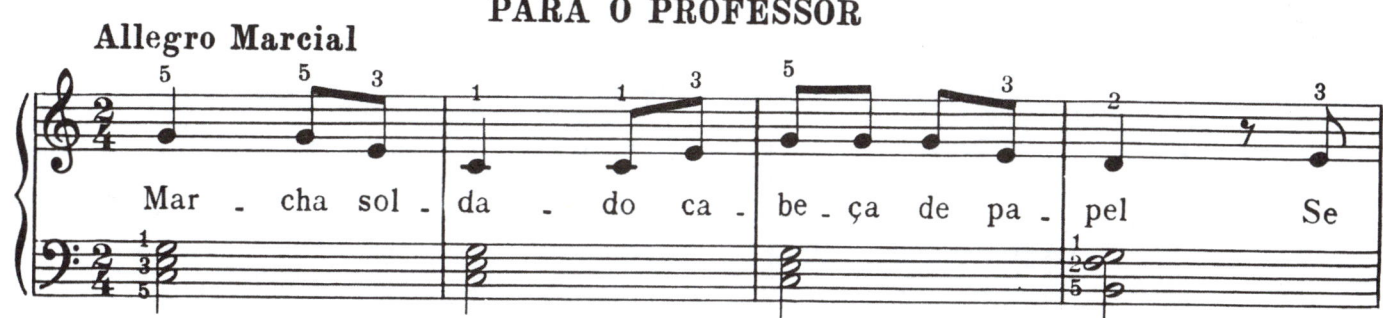

Mar_cha sol_da_do ca_be_ça de pa_pel   Se

não mar_char di_rei_to Vai pre_so p'ro quar_tel.

CAI, CAI, BALÃO

FOLCLORE BRASILEIRO

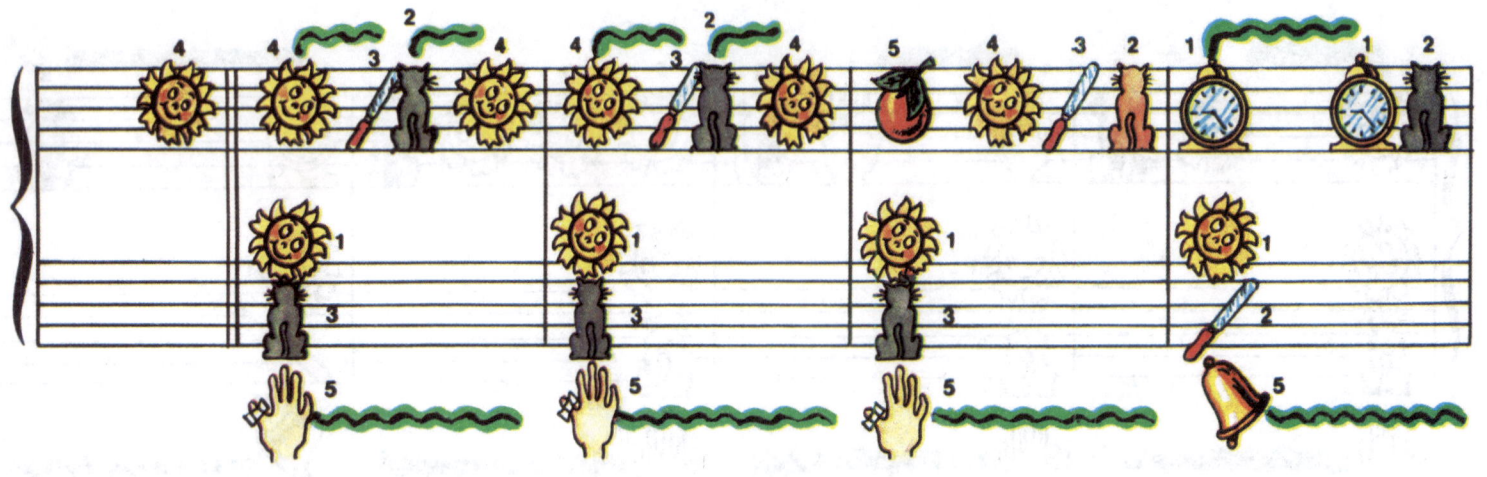

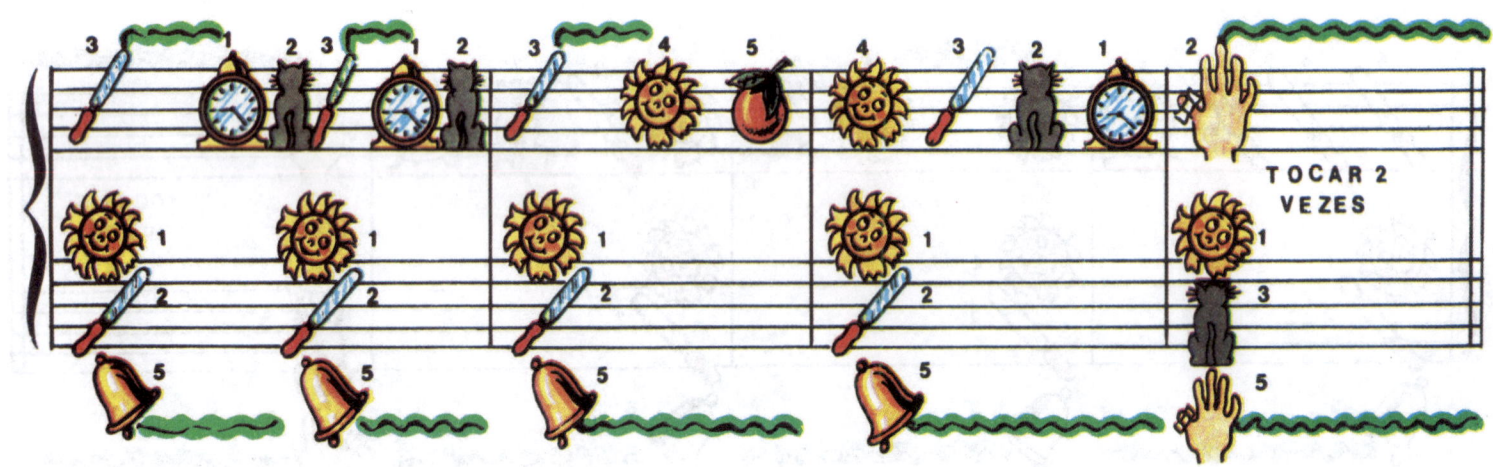

PARA O PROFESSOR

O POBRE E O RICO

FOLCLORE BRASILEIRO

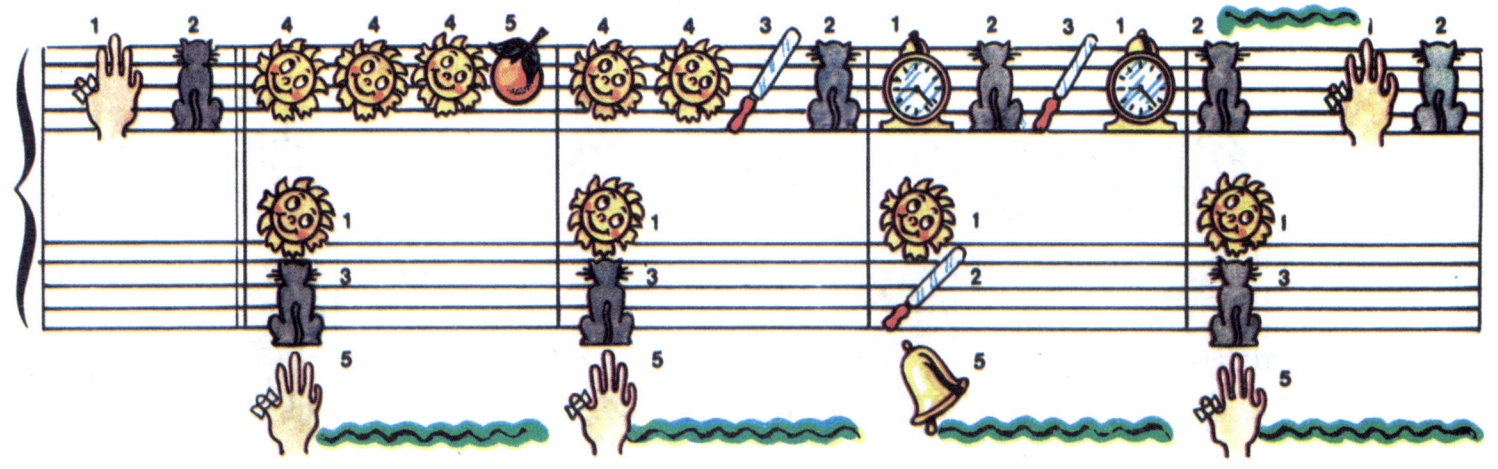

PARA O PROFESSOR

Eu sou po_bre, po_bre, po_bre De mar_ré, mar_ré, mar_

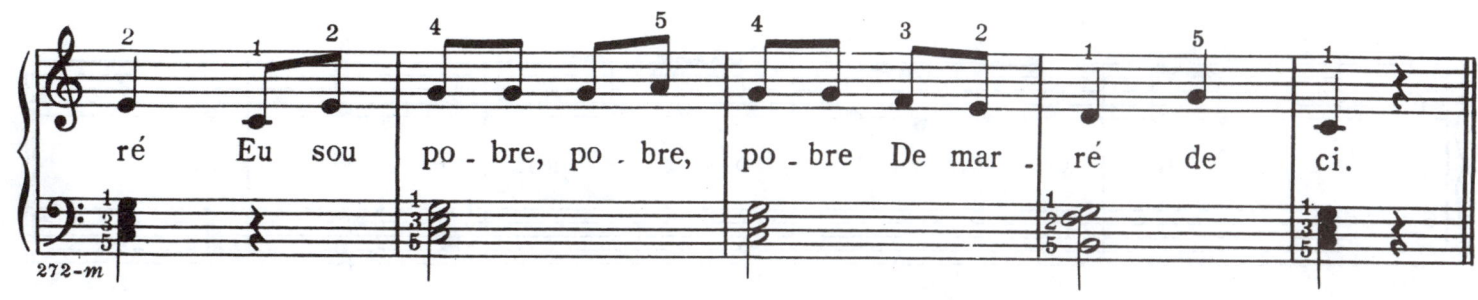

ré Eu sou po_bre, po_bre, po_bre De mar_ré de ci.

CAPELINHA DE MELÃO

FOLCLORE BRASILEIRO

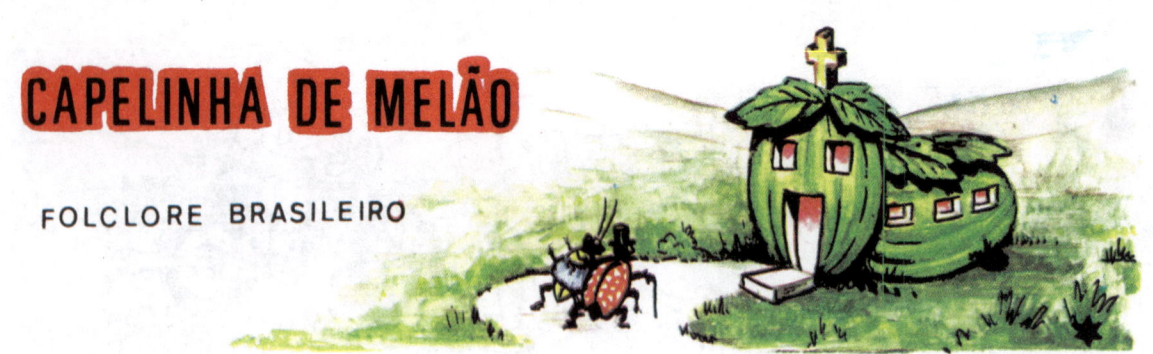

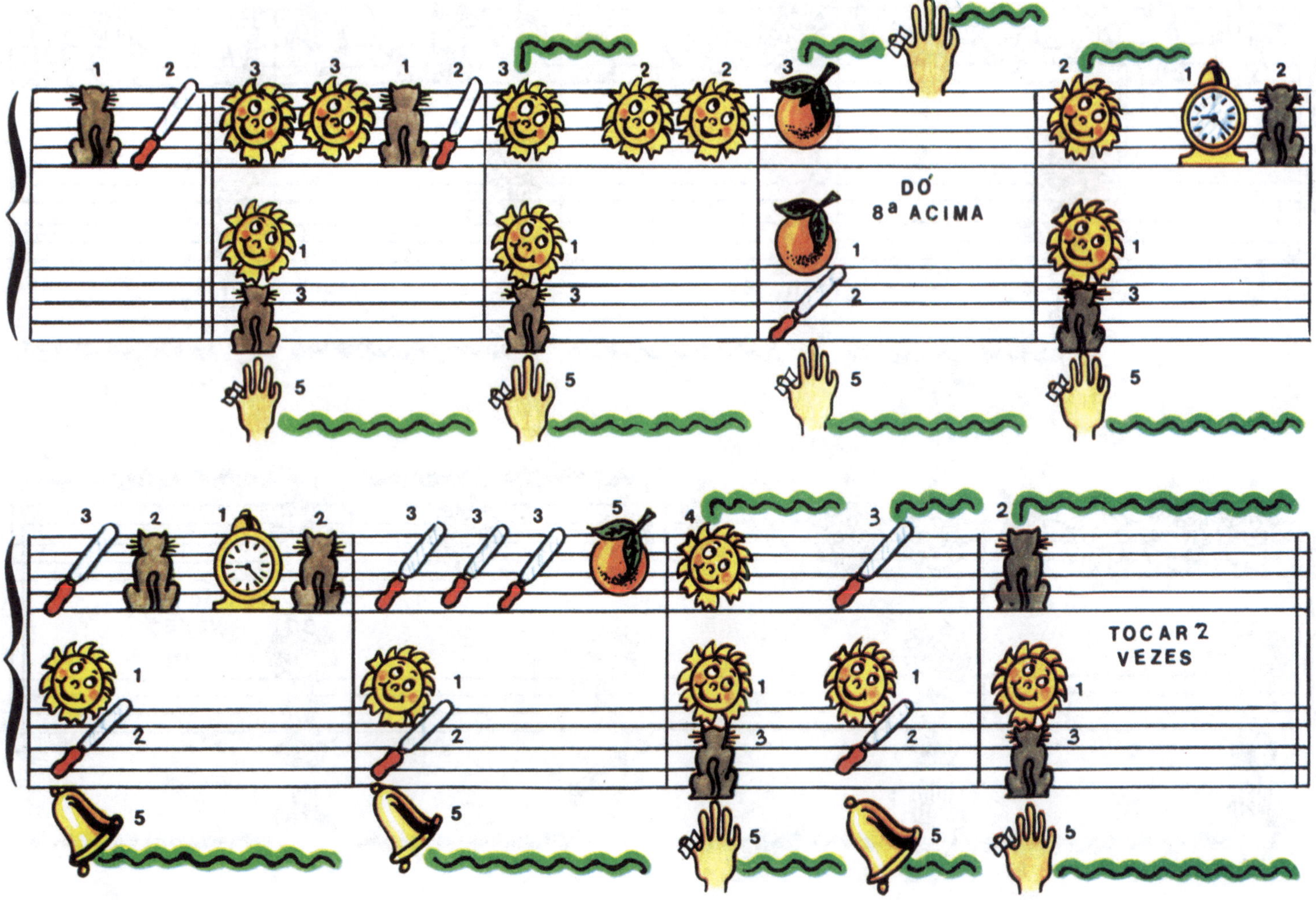
DÓ
8ª ACIMA
TOCAR 2
VEZES

PARA O PROFESSOR

Andantino

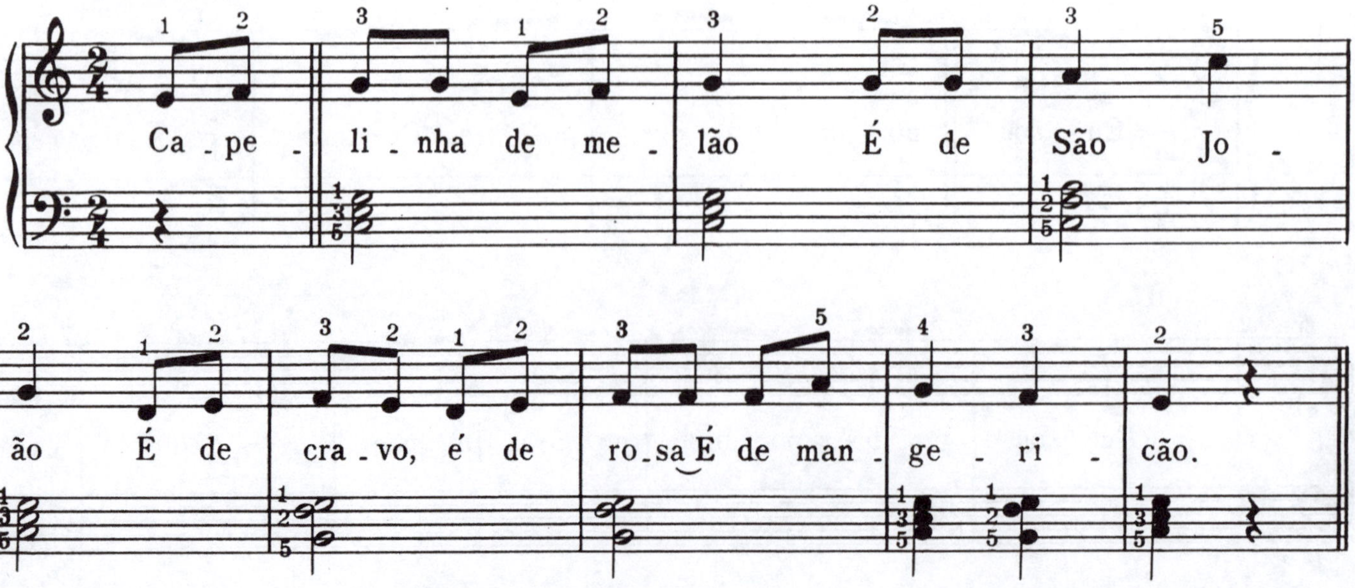
Ca - pe - li - nha de me - lão É de São Jo - ão É de cra - vo, é de ro - sa É de man - ge - ri - cão.

 **POR MÚSICA, NA CLAVE DE SOL**

VAMOS VARRER TODOS ESTES DESENHOS DE UMA VEZ!

(2ª FASE)

LINHAS E ESPAÇOS

QUANDO TRAÇAMOS DUAS LINHAS ASSIM, FICA UM ESPAÇO ENTRE ELAS.

5 LINHAS E 4 ESPAÇOS

REPARE BEM QUE QUANDO TRAÇAMOS 5 LINHAS, TEREMOS ENTÃO 4 ESPAÇOS.

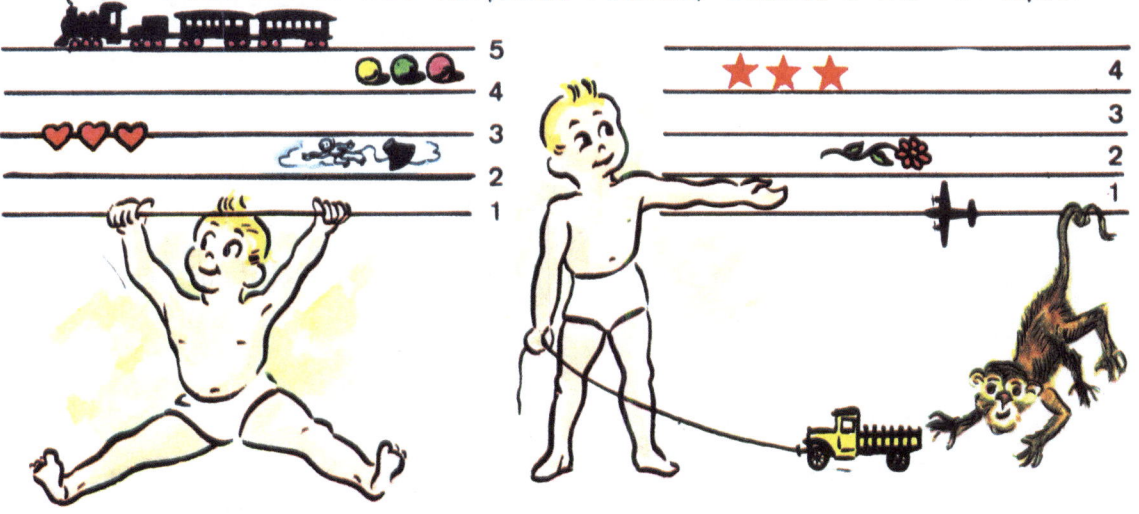

Onde o trenzinho está andando?
Onde está o astronauta?
Os corações estão na linha ou no espaço?
Onde está o menino dependurado?
As bolas estão na linha ou no espaço?

Onde estão as estrelinhas?
E a flor, onde está colocada?
Onde o menino enfiou o braço?
O avião está na linha ou no espaço?
Onde está o macaco dependurado?

PAUTA

```
5ª LINHA _____
4ª LINHA _____  4º ESPAÇO
3ª LINHA _____  3º ESPAÇO
2ª LINHA _____  2º ESPAÇO
1ª LINHA _____  1º ESPAÇO
```

Pauta são 5 linhas e 4 espaços, onde se escrevem as notas. Há notas que são colocadas nas linhas e outras nos espaços. É muito importante observar que começamos a contar, tanto as linhas como os espaços, de baixo para cima. Mostre-me onde está a 1.ª linha? Onde está o 2.º espaço?

Podemos chamar a pauta, também, de Pentagrama.

CLAVES

Clave é um sinal que se coloca no princípio da pauta para dar nome às notas. Há diversas espécies de clave, mas no piano você vai tocar somente nas claves de Sol e Fá.

Na pauta de cima está a clave de Sol e na de baixo a clave de Fá.

COMPASSO

Repare na pauta abaixo que ela está dividida por barras ou travessões. Pois bem, cada espaço compreendido entre estas barras, chama-se Compasso.

Sugerimos adquirirem o livro: "Um Vôo ao País da Música", Método de Teoria Musical Infantil, abrangendo os cinco anos Básicos e 1.º Técnico, em lindíssimas ilustrações, e Uma Aventura Musical na África (Solfejo Infantil).

Já reparou como o soldado marcha firme?   Ele marcha certo no ritmo.

Bata palmas contando 1 2, 1 2, etc., como se estivesse marcando o ritmo para os soldados marcharem.

DURAÇÃO DO SOM

Um som é representado por uma nota musical.

Temos notas com sons mais longos e outras com sons mais curtos.

Estas notas são representadas por vários desenhos com os seguinte nomes:

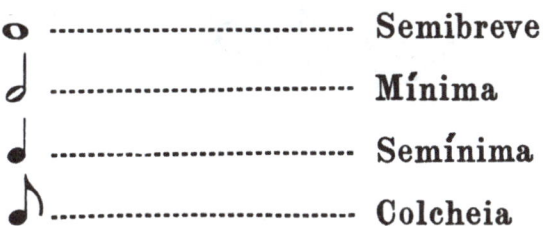

e outras.

Para sabermos a duração destas notas, temos os Sígnos de Compasso.

Repare os pés desse ali.
Que compasso, que beleza!
O ritmo está certinho.
Ele é músico com certeza!

VOCÊ PODE MARCHAR TAMBÉM EM 4 TEMPOS

COMPASSO QUATERNÁRIO

$\frac{4}{4}$, 4 OU C

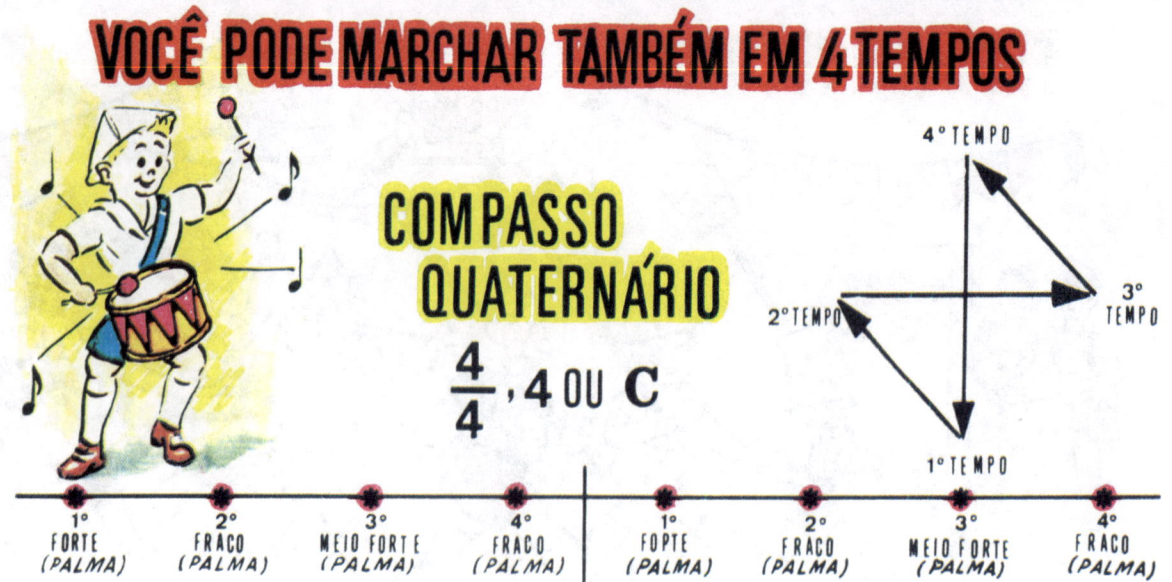

Você já marcou 1 2, 1 2, para os soldados marcharem, mas pode também marcar em 4 tempos: 1 2 3 4, 1 2 3 4, etc.

Os compassos podem ser marcados em 4 tempos, em 3 tempos e em 2 tempos.

Trataremos primeiramente do compasso em 4 tempos que se chama Quaternário.

Este compasso é representado pelos sinais $\frac{4}{4}$, 4 ou C. O 1.° tempo é forte, o 2.° é fraco, o 3.° é meio forte e o 4.° fraco.

VAMOS REPARTIR UMA MELANCIA?

1 INTEIRO

2 MEIOS

4 PEDAÇOS

SEMIBREVE

UMA MELANCIA INTEIRA

IGUAL A

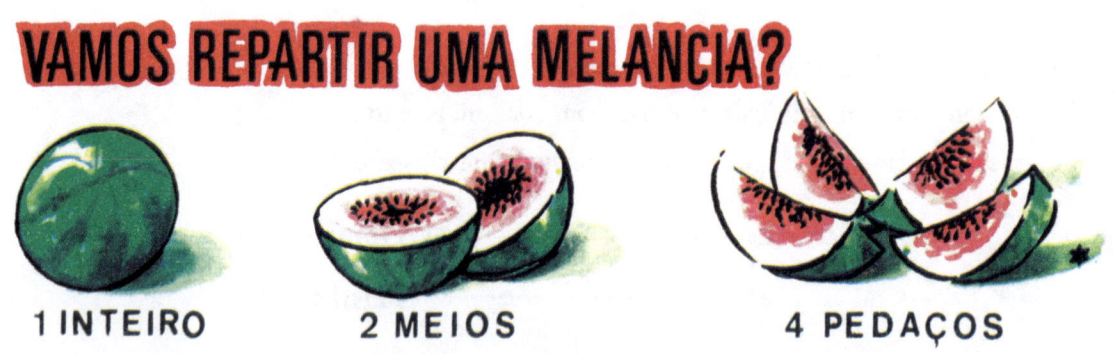

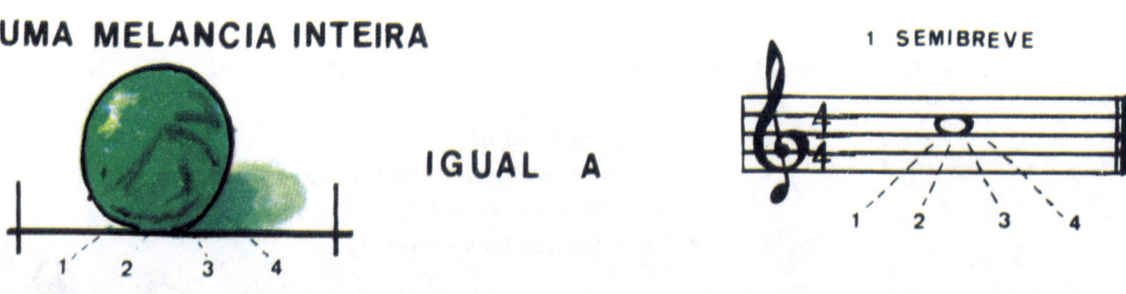

O som da semibreve é sustentado até contar 1, 2, 3, 4, portanto vale 4 tempos ou o compasso inteiro, quando no princípio da pauta tiver um destes sinais: $\frac{4}{4}$, 4 ou C., que se chama Sígnos de Compasso.

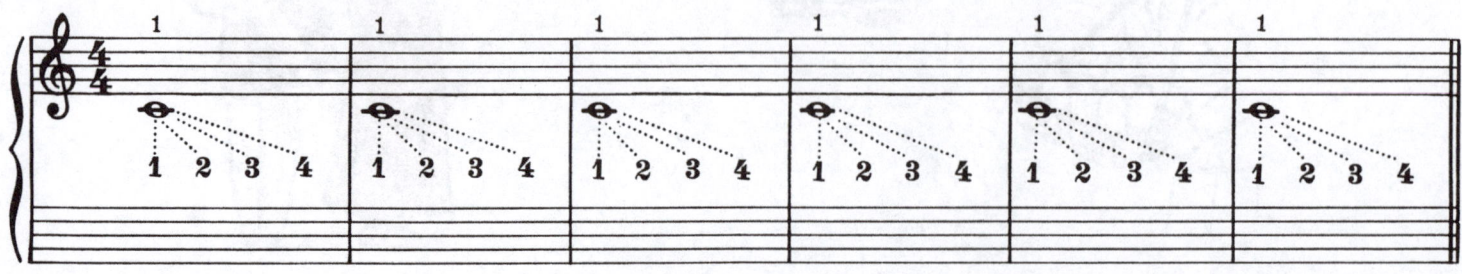

A MÍNIMA VALE 2 TEMPOS

(No compasso $\frac{4}{4}$, 4 ou C)

DUAS METADES

IGUAL A

2 MÍNIMAS

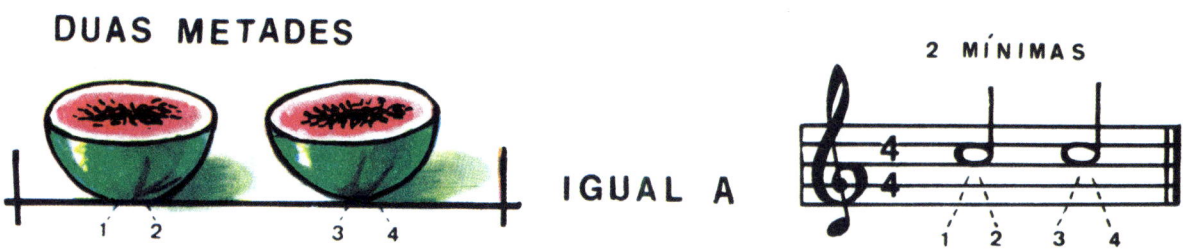

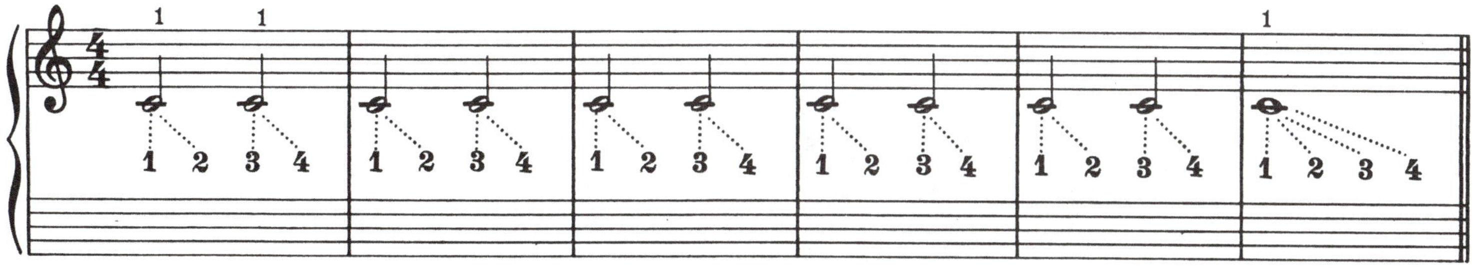

Você deve contar em voz alta os tempos dos compassos 1 2 3 4, assim dará a duração exata de cada nota. No exercício acima verá que a primeira Mínima ganha o 1.º e 2.º tempos e a segunda o 3.º e 4.º tempos.

A SEMÍNIMA VALE 1 TEMPO

(No compasso $\frac{4}{4}$, 4 ou C)

MELANCIA PARTIDA EM 4 PEDAÇOS

IGUAL A

4 SEMÍNIMAS

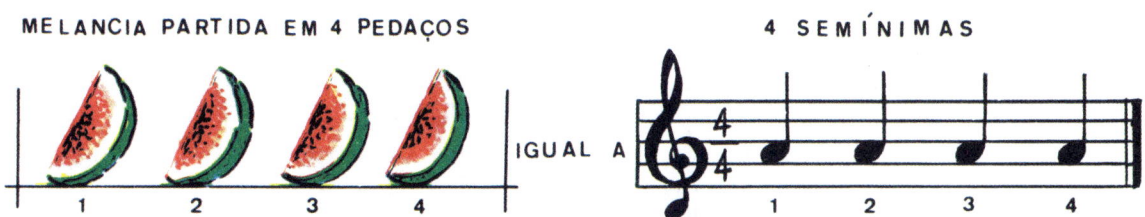

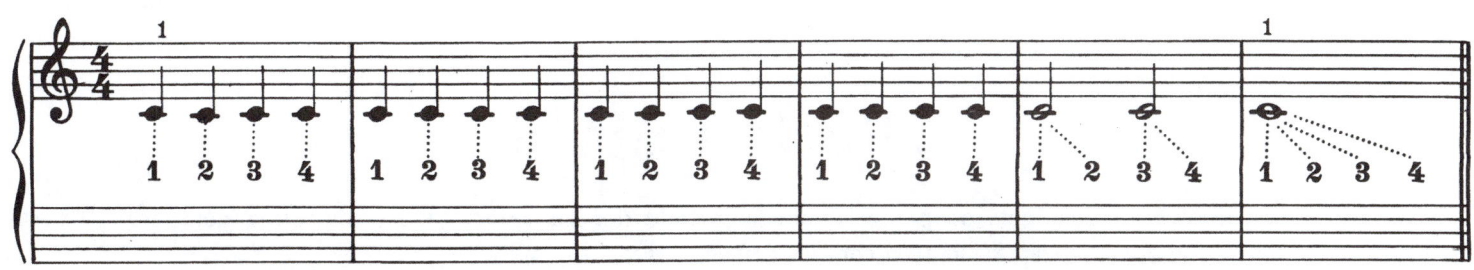

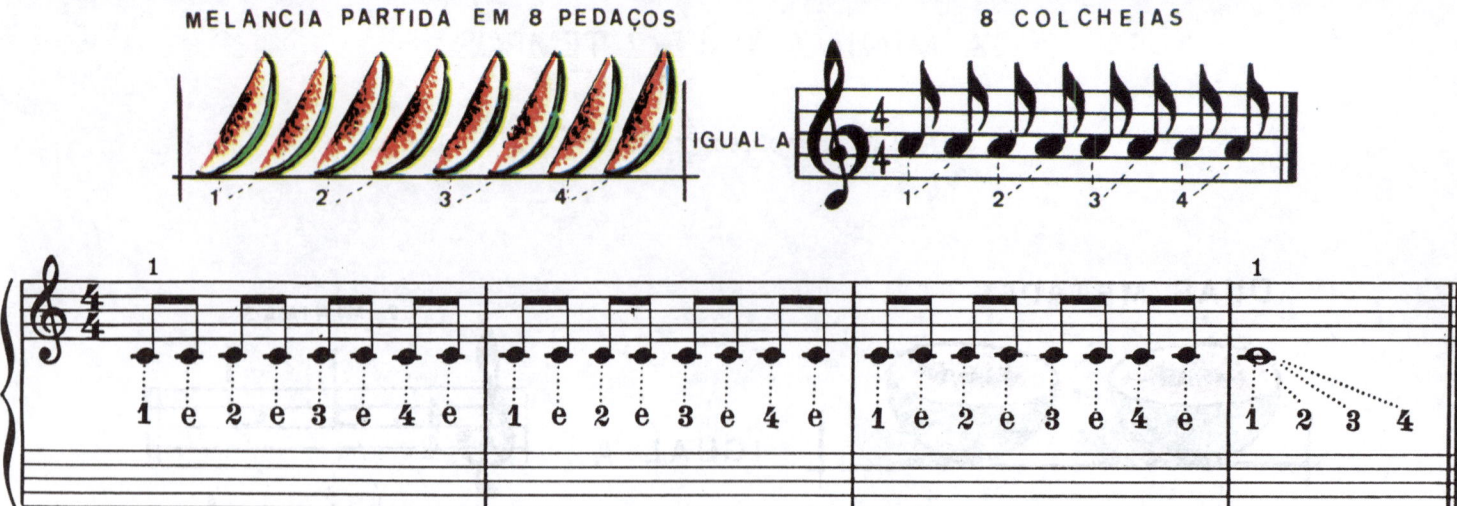

A colcheia é a metade da semínima. No compasso $\frac{4}{4}$ ela vale meio tempo, portanto 2 colcheias valem 1 tempo.

Você pode dividir a melancia também em 8 pedaços e dar para 8 meninos. Cada pedaço é um oitavo (1/8) da melancia, assim, ficam todos satisfeitos com sua fatia.

PAUSA

Assim como temos as notas (figuras positivas) que representam o som, temos as pausas que representam o silêncio (figuras negativas).

Se uma semibreve dura 4 tempos de som, uma pausa da semibreve tem o valor de 4 tempos de silêncio, no compasso $\frac{4}{4}$.

Notas:	SEMIBREVE 4 tempos	MÍNIMA 2 tempos	SEMÍNIMA 1 tempo	COLCHEIA ½ tempo
Pausas:				

Repare bem, que a pausa da semibreve está colocada debaixo da 4.ª linha e a pausa da mínima, acima da 3.ª linha.

PONTO DE AUMENTO

Um ponto depois de uma nota ou pausa, aumenta metade do seu valor. Uma semínima pontuada passará a valer um tempo e meio. O mesmo acontece com as pausas.

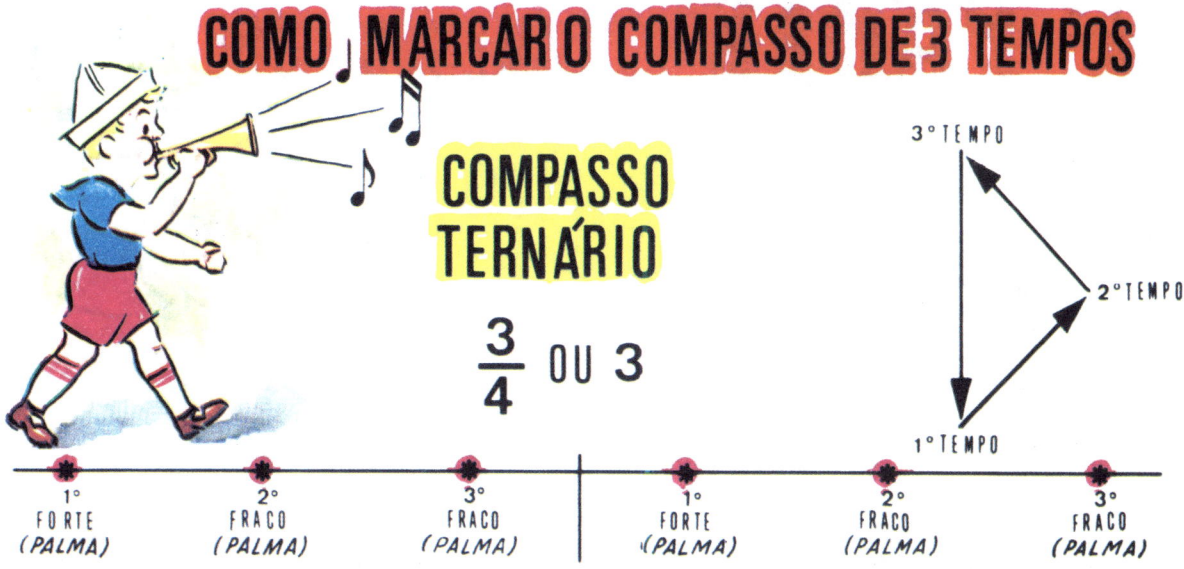

Este é o compasso Ternário (de 3 tempos), tão conhecido e tão usado nas valsas. O 1.º tempo é forte e o 2.º e 3.º fracos. Exercite, contando os 3 tempos em voz alta, batendo palmas mais forte no 1.º tempo e mais fracas no 2.º e 3.º.

O compasso Binário é marcado em 2 tempos, muito usado nas marchas. É representado por $\frac{2}{4}$, sendo o 1.º tempo forte e o 2.º fraco.

SIGNOS DE COMPASSO

3ª PARTE CLAVES DE SOL E FÁ

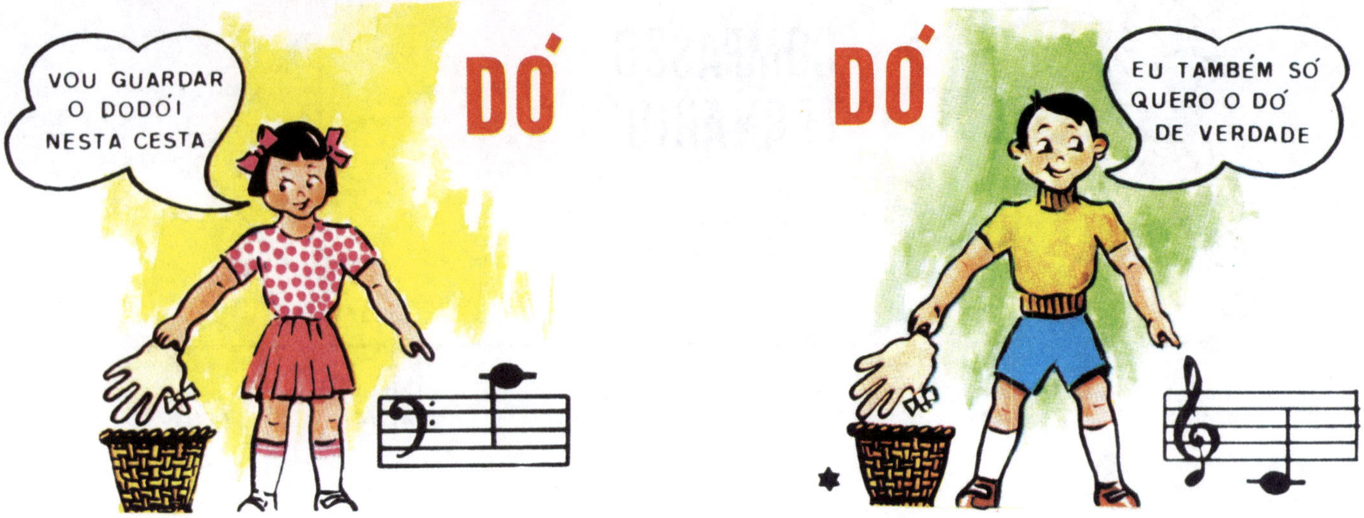

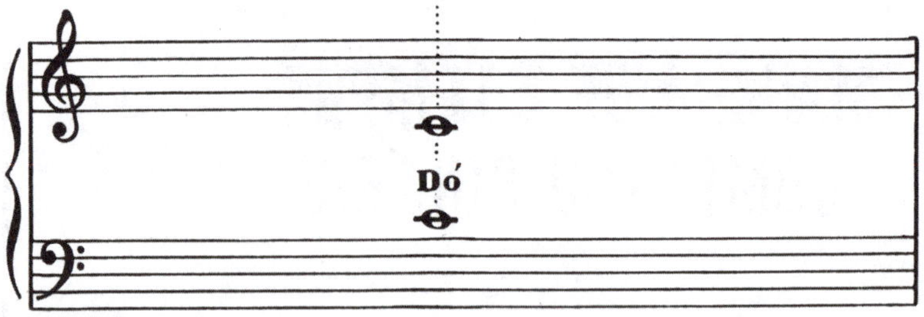

VOU GUARDAR O DODÓI NESTA CESTA
DÓ
DÓ
EU TAMBÉM SÓ QUERO O DÓ DE VERDADE

DÓ
CENTRAL

Dó

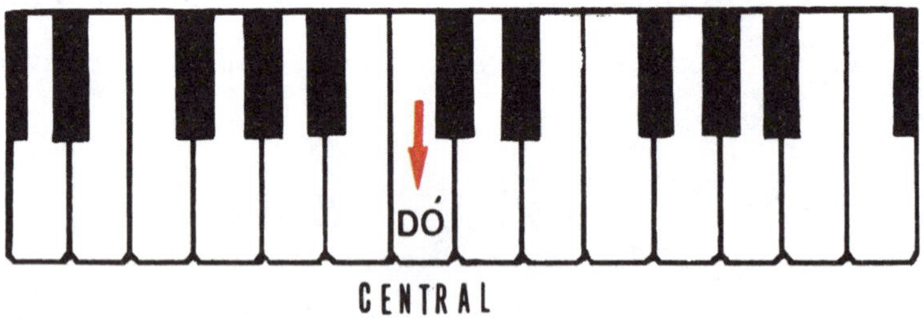

O Dó central é o mesmo tanto na clave de Sol, como na clave de Fá.

OS DOIS POLEGARES NA MESMA NOTA

No compasso Binário $\frac{2}{4}$ a mínima vale 2 tempos

1
1
1
1
1 (tempos) 2
1 (tempos) 2

DÓ CENTRAL

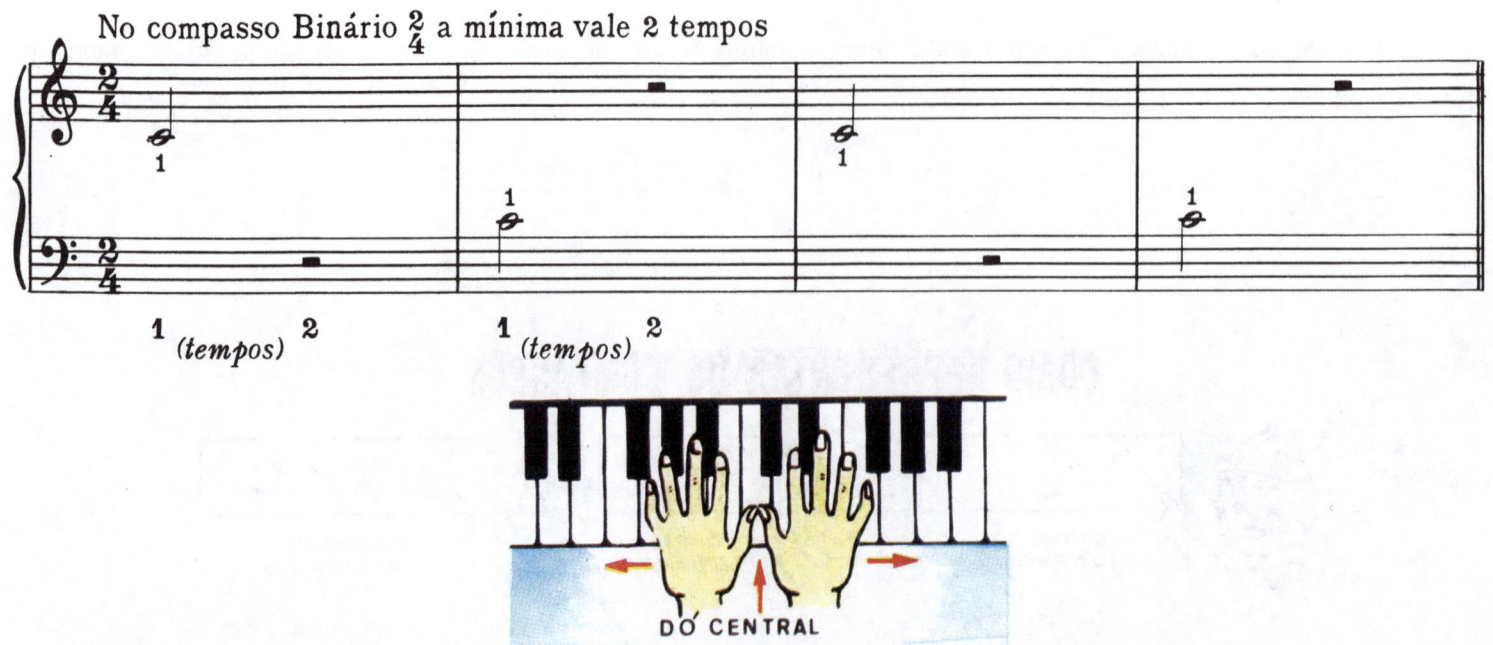

SI   RÉ

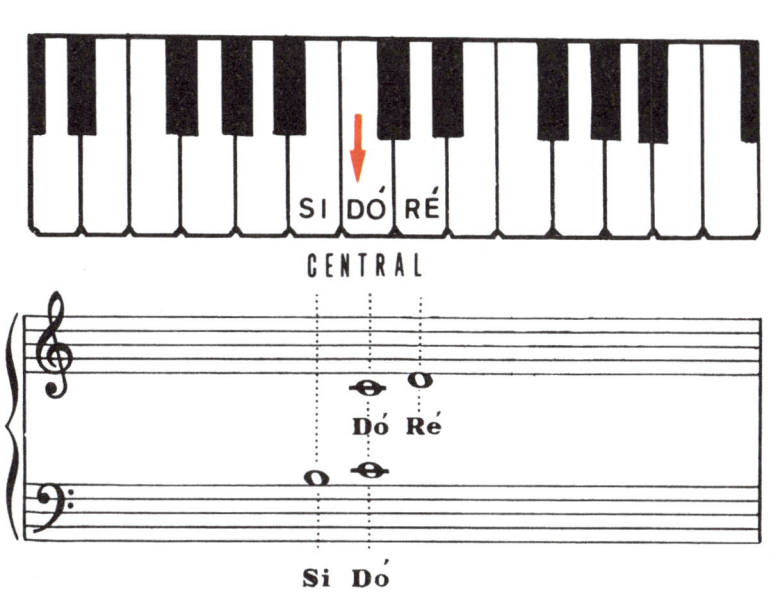

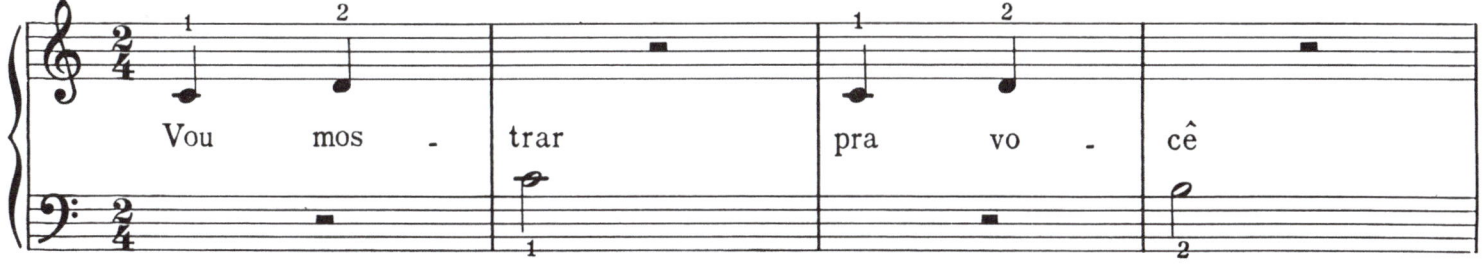

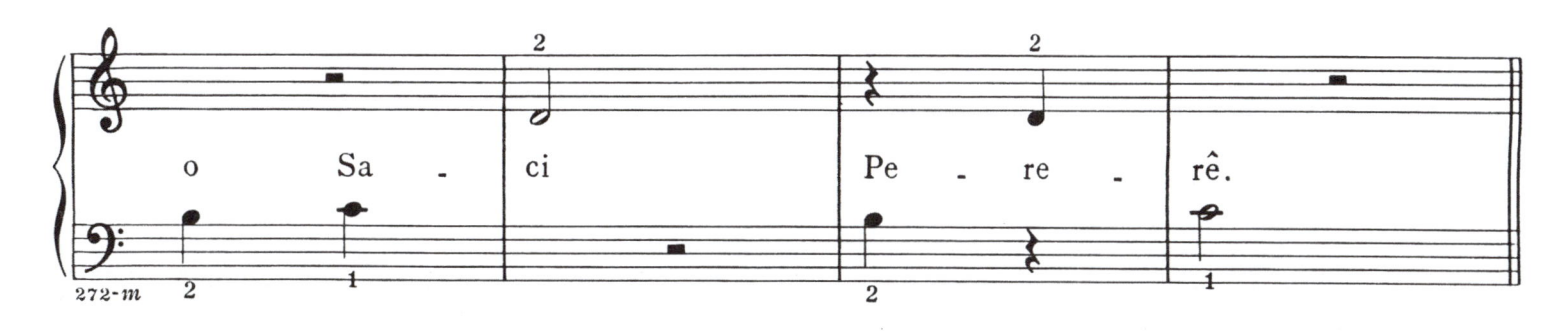

"VOU GUARDAR O SINO NESTA SACOLA"

"EU QUERO O RÉ VERDADEIRO"

SI DÓ RÉ
CENTRAL

Dó Ré

Si Dó

O SACI PERERÊ

MÚSICA DE MÁRIO MASCARENHAS

Vou mos - trar pra vo - cê

o Sa - ci Pe - re - rê.

LÁ — NÃO QUERO MAIS LARANJA, QUERO O LÁ DE VERDADE.

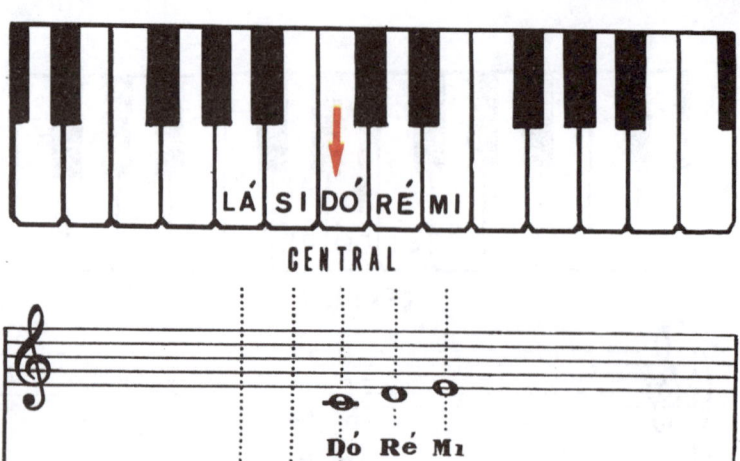

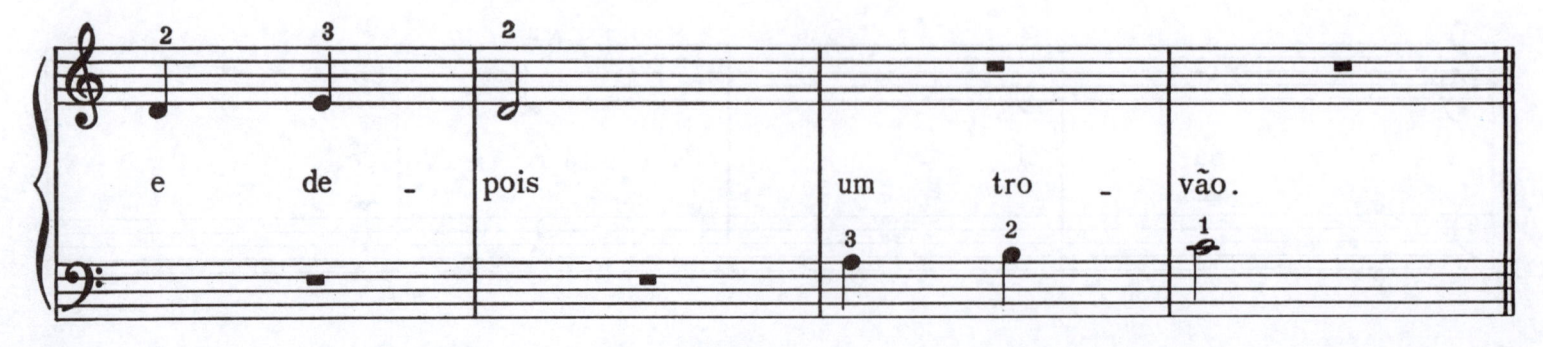

MI — VOU JOGAR ESTE GATO NA CHAMINÉ

LÁ SI DÓ RÉ MI
CENTRAL

Dó Ré Mi
Lá Si Dó

O TROVÃO

MÚSICA DE MARIO MASCARENHAS

Vem do céu um cla - rão
e de - pois um tro - vão.

A CHUVA

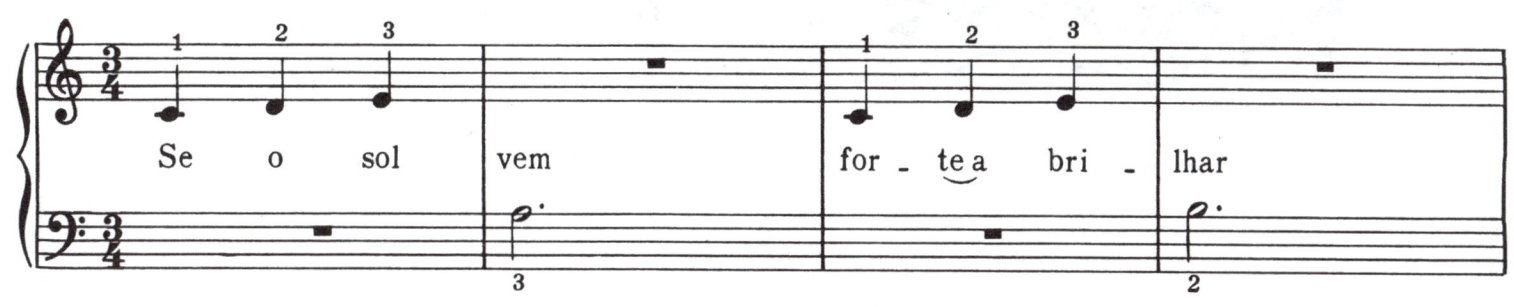

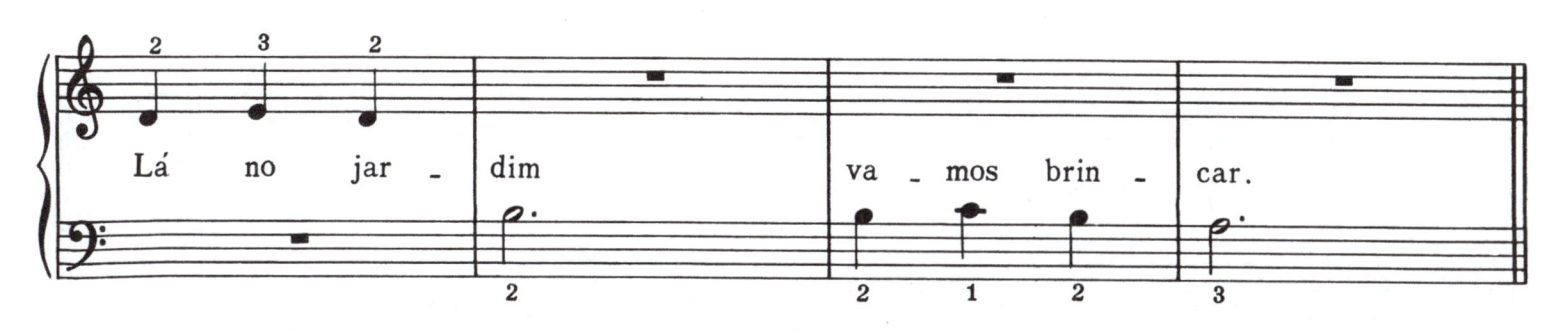

MÚSICA DE MÁRIO MASCARENHAS

Quan - do a chu - va cai, cai,

Diz ma - mãe: nin - guém sai!

O SOL

Se o sol vem for - te a bri - lhar

Lá no jar - dim va - mos brin - car.

CLAVE DE FÁ
SOL
FÁ

VOU TAPAR O SOL COM A PENEIRA

VOU GUARDAR ESTA FACA AQUI NA MINHA CINTURA

SOL LÁ SI DÓ RÉ MI FÁ
CENTRAL

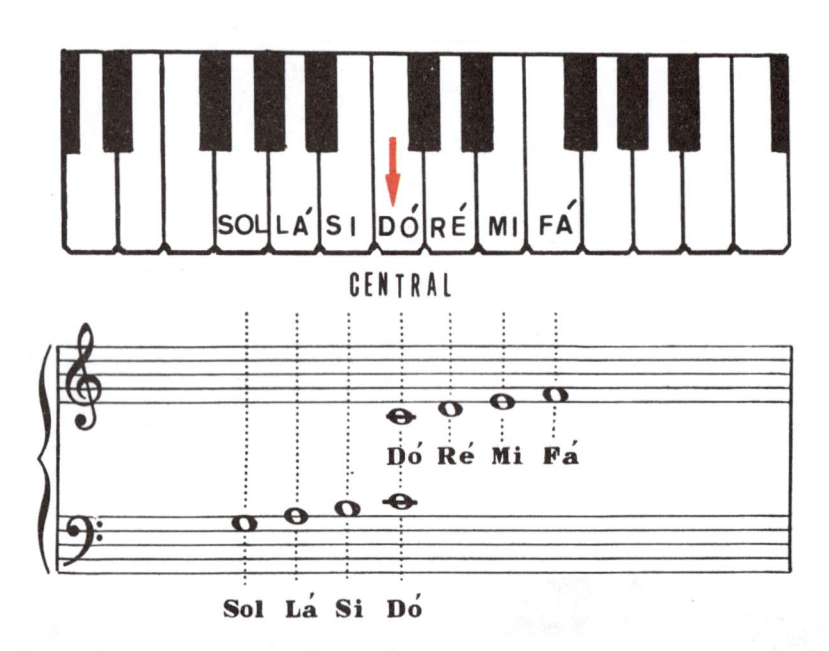

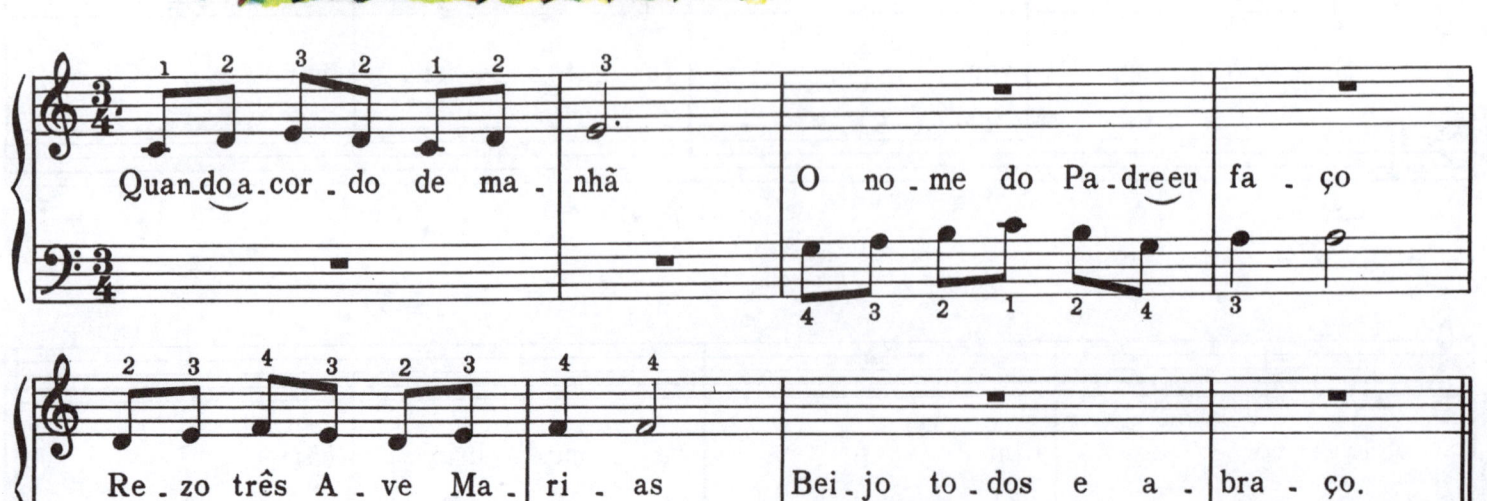

Dó Ré Mi Fá

Sol Lá Si Dó

DE MANHÃ QUANDO DESPERTO

MÚSICA DE MÁRIO MASCARENHAS

Quando acordo de manhã
O nome do Padre eu faço
Rezo três Ave Marias
Beijo todos e abraço.

O DIA É MUITO CURTO

VEM ALMOÇAR

MÚSICA DE MÁRIO MASCARENHAS

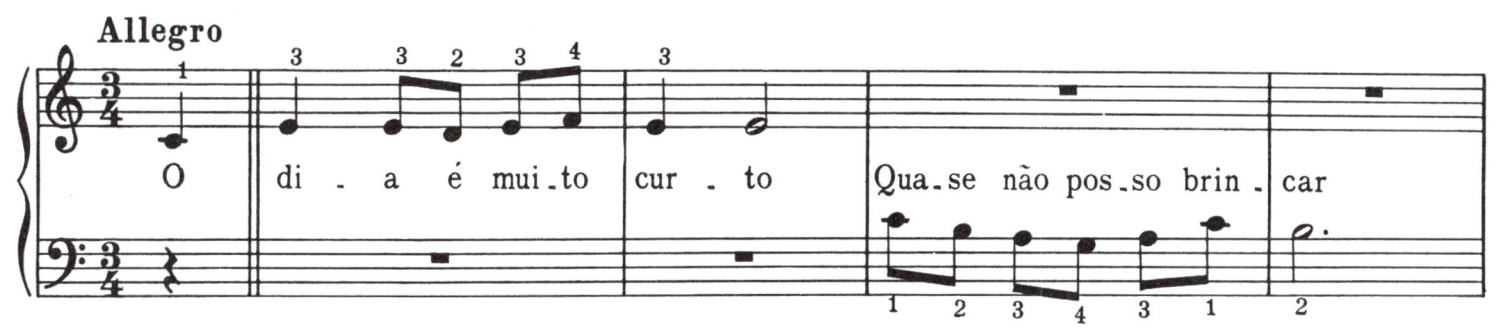

Allegro

O di-a é mui-to cur-to Qua-se não pos-so brin-car

Te-nho que to-mar o ba-nho, Ca-fé, al-mo-ço e jan-tar.

BOA NOITE!

9 HORAS

TIC TAC

MÚSICA DE MÁRIO MASCARENHAS

Lento

O re-ló-gio faz: Tic-tac E o si-no faz: Blim blão

Eu já vou dor-mir Com Je-sus no co-ra-ção. Bo-a noi-te!

mf — *p* — *pp rallentando*

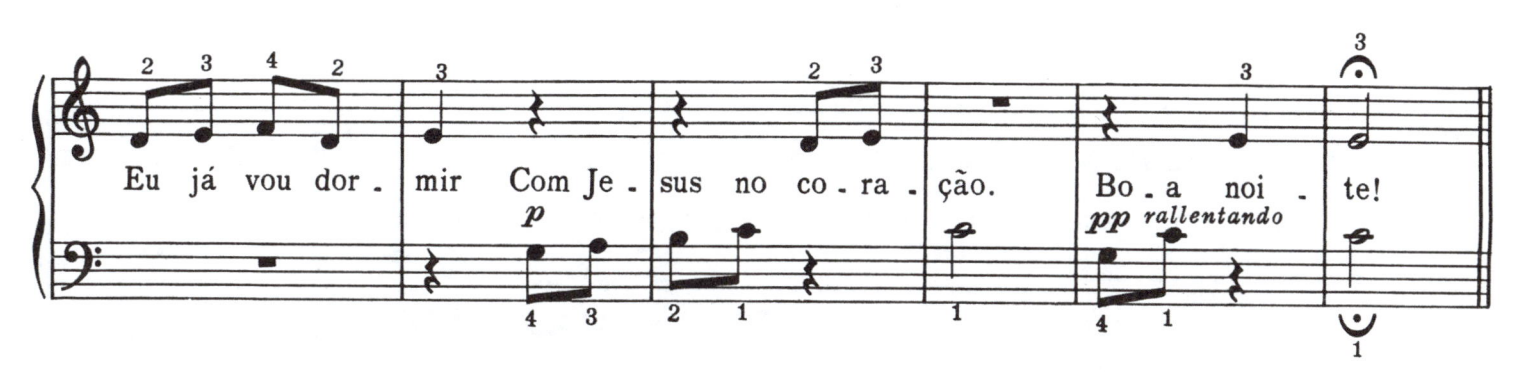

FÁ SOL

CHEGA DE TOCAR POR DESENHO

ESTE SOL É DE VERDADE MESMO

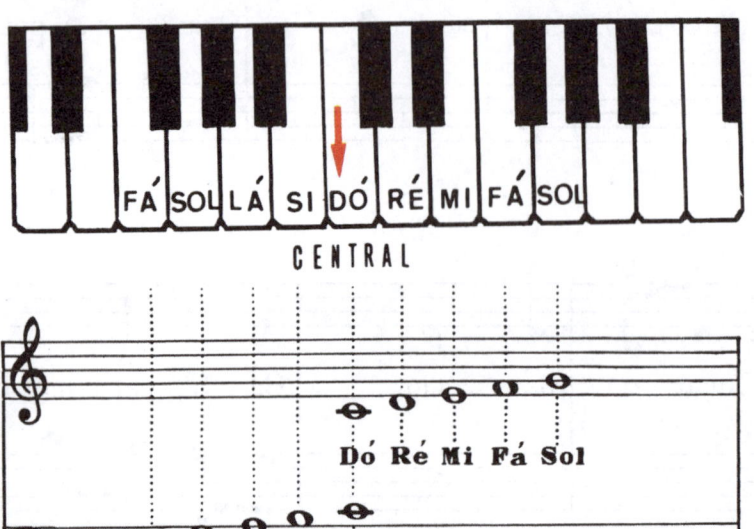

FÁ SOL LÁ SI DÓ RÉ MI FÁ SOL
CENTRAL

Dó Ré Mi Fá Sol

Fá Sol Lá Si Dó

DOIS PEIXINHOS DOURADOS

MÚSICA DE MÁRIO MASCARENHAS

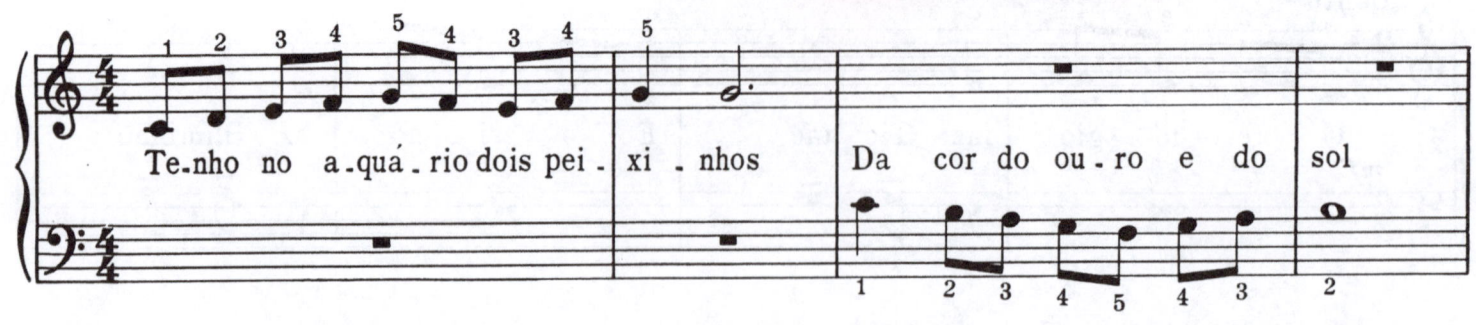

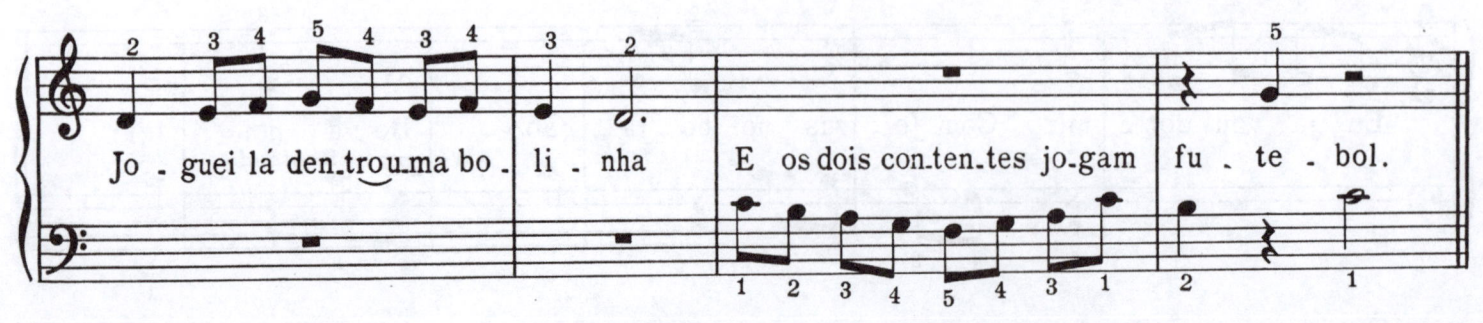

Te-nho no a-quá-rio dois pei-xi-nhos Da cor do ou-ro e do sol

Jo-guei lá den-tro u-ma bo-li-nha E os dois con-ten-tes jo-gam fu-te-bol.

FOI MÃO DE DEUS

Letra e Música de MÁRIO MASCARENHAS

1.
Que belo céu, que lindo mar
Que belo sol, sempre a brilhar
Que clara luz nos olhos meus
Eu sei quem fez: foi mão de Deus!

2.
Veja o leão, forte a lutar
A linda flor a perfumar
Quanta emoção de uma só vez
Foi mão de Deus, que tudo fez.

43

APRESENTAÇÃO DO **MI-RÉ-DÓ**

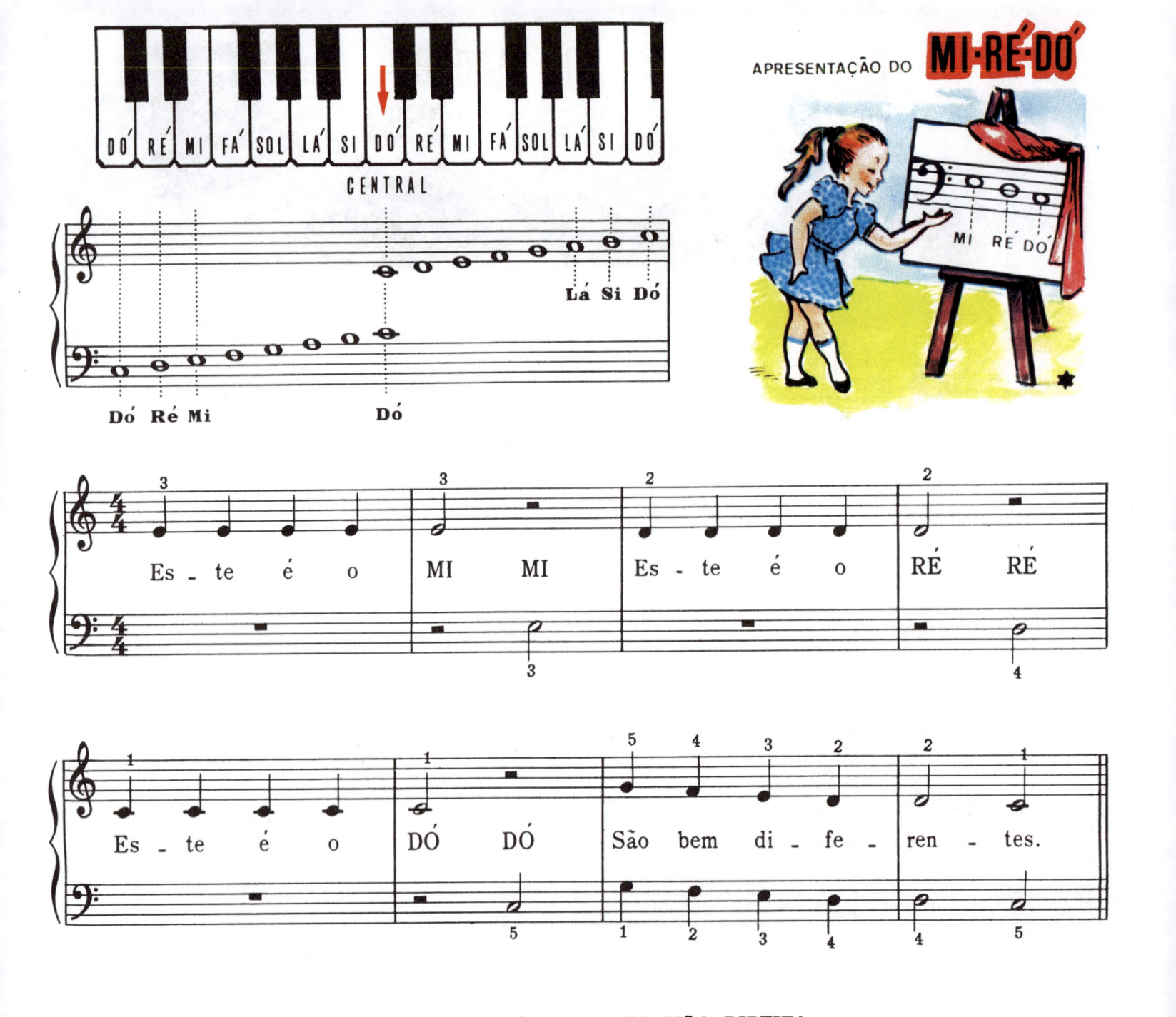

Este é o MI MI Este é o RÉ RÉ

Este é o DÓ DÓ São bem di_fe_ren_tes.

ESCALA DE DÓ MAIOR NA MÃO DIREITA

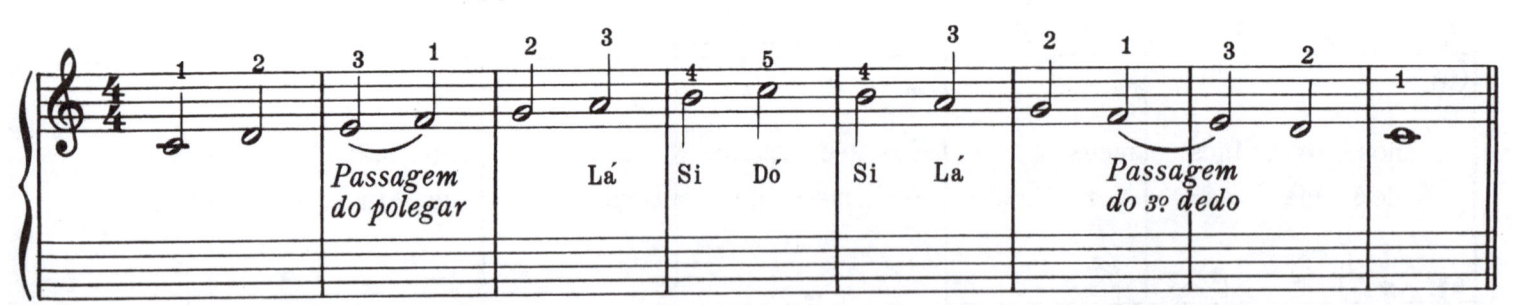

Passagem do polegar — Lá Si Dó Si Lá — Passagem do 3º dedo

ESCALA DE DÓ MAIOR NA MÃO ESQUERDA

Dó Ré Mi — Passagem do dedo — Passagem do dedo — Mi Ré Dó

ESCALA DE DÓ MAIOR NAS DUAS MÃOS
(MOVIMENTO DIRETO)

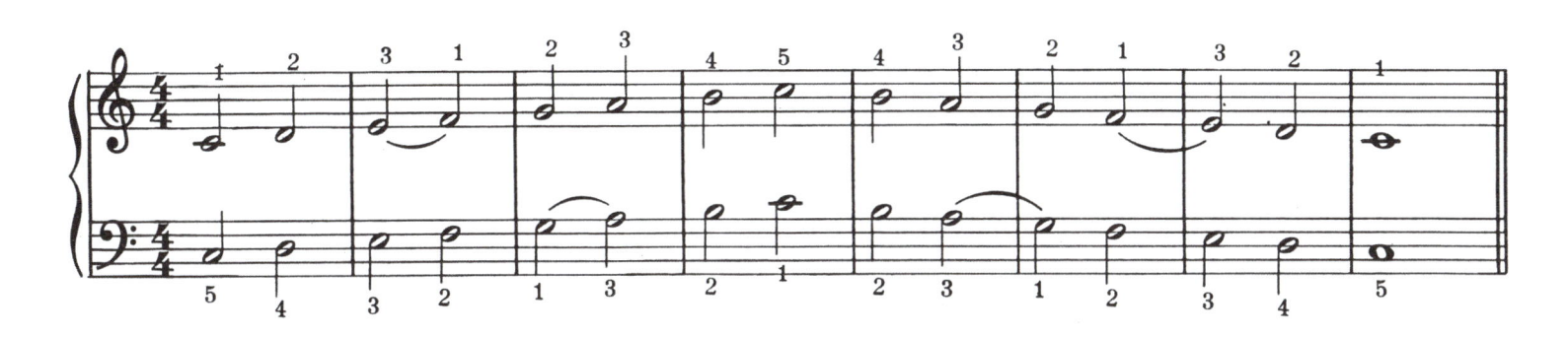

ESCALA DE DÓ MAIOR NAS DUAS MÃOS
(MOVIMENTO CONTRÁRIO)

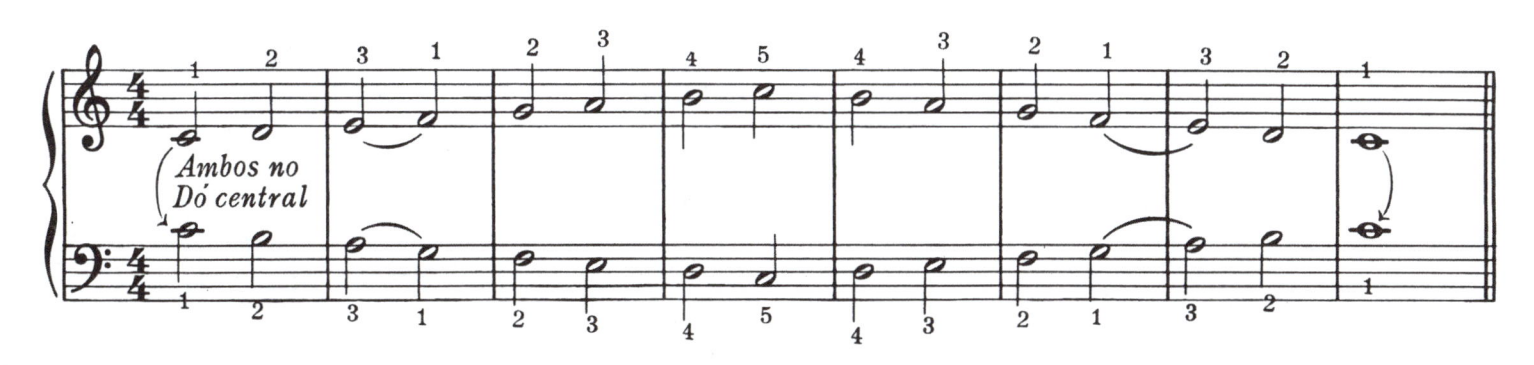

Ambos no Dó central

Reparem que na escala em movimento contrário os dois polegares começam no mesmo Dó (central) e na volta, terminam juntos outra vez, na mesma tecla onde iniciaram.

Arpejo de Dó Maior

Mão esquerda cruzando

VAMOS BRINCAR NO "ESCORREGA"

Fui subir ali para escorregar
O que aconteceu eu já vou contar
Fui descer ali sem botar a mão
E me esborrachei ao cair no chão.

O aluno deverá tocar este exercício vagarosamente, e o professor, ao notar que as duas mãos estão bem iguais, pedirá então que apresse o movimento.

COORDENAÇÃO MOTORA

Haverá agora uma combinação entre as duas mãos de tocarem diversas peças e exercícios, exatamente iguais, isto é, as mesmas notas, como se fosse um papel carbono, uma imitação tal um espelho, uma sombra, etc.

Uma ajudará a outra, porém devem ser bem unidas, bem amigas, para, com este trabalho, obterem a coordenação motora.

Quando as notas são iguais chamam-se uníssonas, porém, nos próximos exercícios tocaremos notas uníssonas com a distância de uma oitava.

Os desenhos são em motivo de imitações, portanto, os exercícios foram também assim idealizados, para que a mão esquerda imite a direita.

MECANISMO EM FORMA DE CANÇÕES

O autor idealizou o mecanismo em forma de canções, não só para estimular e interessar o estudante, como também para que ele, num estudo bem agradável, possa gravar com rapidez, as notas nas duas claves.

Estas pequenas canções foram compostas predominando os graus conjuntos, a fim de oferecer a maior facilidade possível ao estudante, que tão esperançoso inicia esta bela arte pianística.

CARETA NO ESPELHO

MÚSICA DE MÁRIO MASCARENHAS

Eu es-ta-va no es-pe-lho Pa-ra ver co-mo é que sou
Fiz ca-re-ta fiz fi-au E o es-pe-lho mei-mi-tou.

A SOMBRA

MÚSICA DE MÁRIO MASCARENHAS

Quando pula a sombra pula
Sabe correr e brincar
Mas se choro, canto, falo
Ela não sabe imitar.

CRIANÇA BEM NOVINHA

MÚSICA DE MÁRIO MASCARENHAS

A criança bem novinha
Leva tempo para andar
E laimita gente grande
Mas só sabe engatinhar.

DESENHO NA ÁGUA

MÚSICA DE
MÁRIO MASCARENHAS

Eu brin - ca - va de re - mar
Em - pe - zi - nho na ca - no - a
Vi meu cor - po de - se - nha - do
Lá na a - gua da la - go - a.

O ECO DA MONTANHA

MÚSICA DE MÁRIO MASCARENHAS

Dei um gri - to mui - to for - te
O meu cor - po es - tre - me - ceu
Eu gri - tei com tan - ta for - ça
Que a mon - ta - nha res - pon - deu.

O SUSTENIDO

LEVANTA O SOM DA NOTA. QUER DIZER QUE ELA DEVE SER TOCADA NA TECLA PRETA, À DIREITA.

Escalas Maiores com Sustenidos

Se você encontrar no início da música um ou mais sustenidos, quer dizer que as notas que têm este sinal no princípio da pauta são sustenizadas.

ESCALA EM DÓ MAIOR

ESCALA EM SOL MAIOR

ESCALA EM RÉ MAIOR

ESCALA EM LÁ MAIOR

O BEMOL ♭

ABAIXA O SOM DA NOTA. QUER DIZER QUE ELA DEVE SER TOCADA NA TECLA PRETA, À ESQUERDA.

Escala Maior com Bemois

Se você encontrar no início da música, um ou mais bemois, quer dizer que as notas que têm este sinal no princípio da pauta são bemolizadas.

ESCALA EM FÁ MAIOR

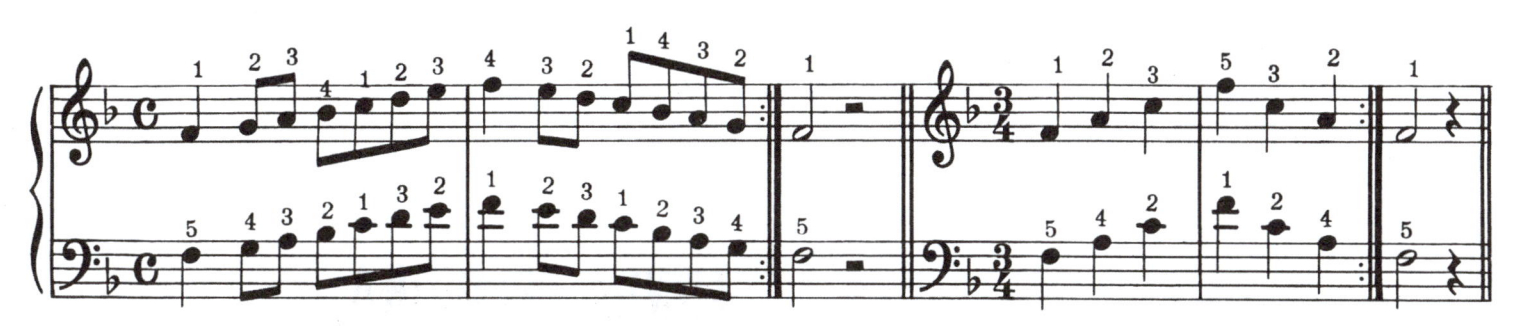

Escalas Menores

Tratando-se de iniciação ao piano, apresentamos aqui duas escalas menores, para que o aluno prepare, insensivelmente o ouvido para os tons relativos menores.

ESCALA EM LÁ MENOR (*relativa de Dó maior*)

ESCALA EM RÉ MENOR (*relativa de Fá maior*)

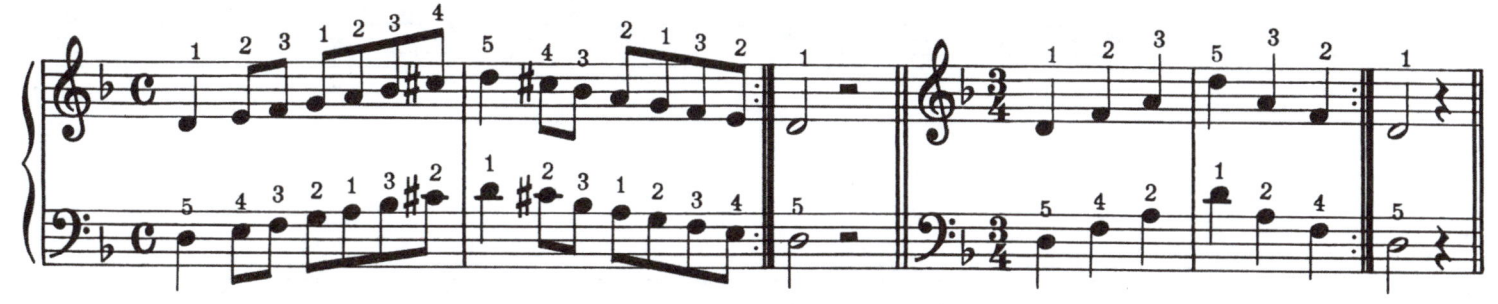

ESCALA CROMÁTICA

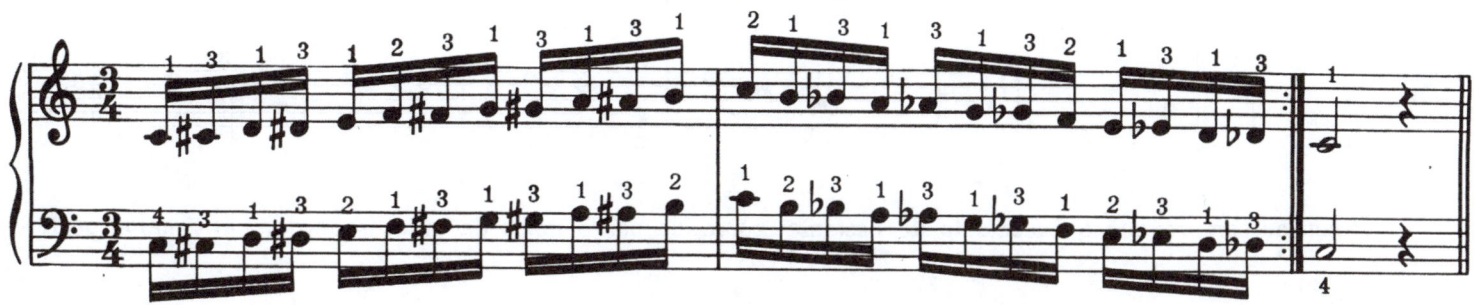

INDEPENDÊNCIA DAS DUAS MÃOS

As mãos agora se libertam uma da outra, tocando notas com valores diferentes pois até este momento, só tocaram em uníssono e separadamente.

Sugiro ao professor, fazer uma forte recapitulação da parte teórica, tornando o aluno bem conhecedor dos valores das figuras e dos signos dos compassos. O ponto de aumento não deve ser esquecido, aliás bem compreendido: uma mínima pontuada no compasso $\frac{3}{4}$ ou $\frac{4}{4}$ vale 3 tempos, uma semínima pontuada 1 tempo e meio, bem assim como uma perfeita coordenação dos valores quanto à junção das duas mãos. Ele deverá compreender que uma mínima pode receber ou ser conjugada com outra mínima na outra mão, bem assim como duas semínimas, etc. Esta parte deve ser bem clara, a fim de que ele vá, pouco a pouco se familiarizando com a conjugação dos valores entre as duas mãos, para não encontrar dificuldade nas novas situações que forem aparecendo, como as colcheias, pausas pontuadas, etc.

MINHA PRIMEIRA EXPERIÊNCIA

VALSA

Procurar sempre que o executante dê bastante igualdade nas 3 notas da mão esquerda, para maior perfeição do ritmo.

O CASAMENTO DA ANDORINHA

MÚSICA DE
MÁRIO MASCARENHAS

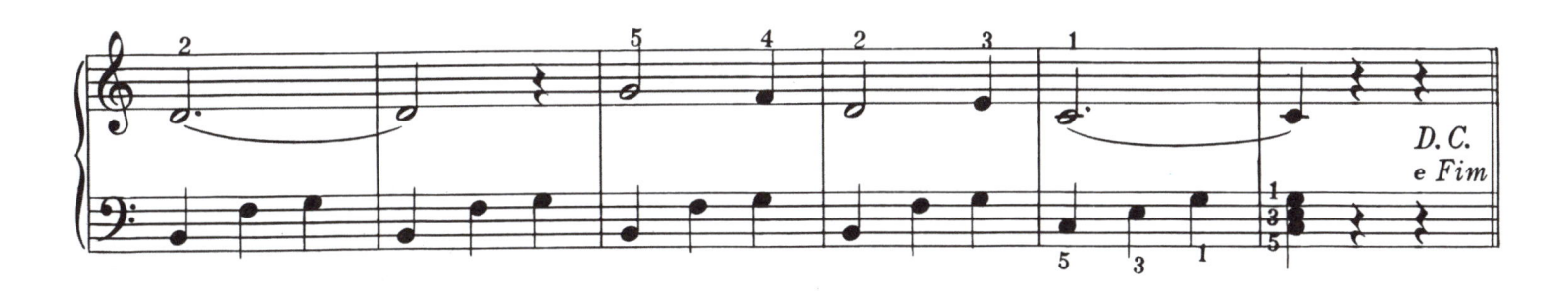

O SI ABAIXO DO DÓ (mão esquerda)

Nestas músicas já podemos começar a empregar o Si, que está abaixo do Dó.

NOTA: As pequenas peças musicais contidas neste livro, obedecem rigorosamente à didática, observando gradativamente a dificuldade.

O autor recomenda, com entusiasmo, o livro «O Tesouro do Pequeno Pianista», contendo grande quantidade de peças fáceis, com lindas ilustrações em cores, livro este que vem estimular todos os estudantes, que, dentro do atual espírito da juventude, desejam logo, sem perda de tempo, tocar aquilo que o mundo já consagrou e que lhes agrada.

A FORMIGUINHA

MÁRIO MASCARENHAS

MEU CACHORRINHO PEQUINÊS

MÚSICA DE MÁRIO MASCARENHAS

POSIÇÃO DO PIANISTA

Para uma posição correta, não se deve deixar cair o corpo, a fim de que as costas não fiquem curvadas. Os braços devem estar na posição horizontal e as mãos arredondadas, como se estivessem segurando uma bola.

O pulso não deve ficar endurecido, nem os braços.

O TAMBORZINHO

MÚSICA DE MÁRIO MASCARENHAS

Exercícios de Mecanismo

Nº 1

Nº 2

VÓ É MÃE DUAS VEZES!

PARA DECLAMAR

DIGO À VOCÊ, MINHA VÓ,
CANTANDO NESTE ESTRIBILHO:
VOCÊ É MÃE DUAS VEZES,
SOU DUAS VEZES SEU FILHO!

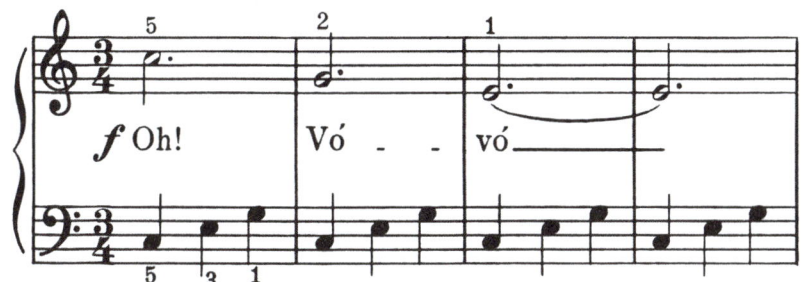

Verso e Música de
MÁRIO MASCARENHAS

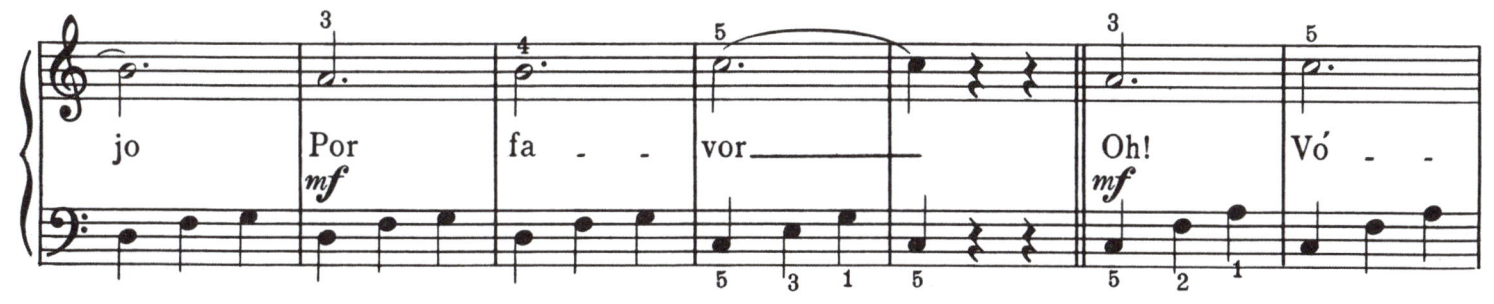

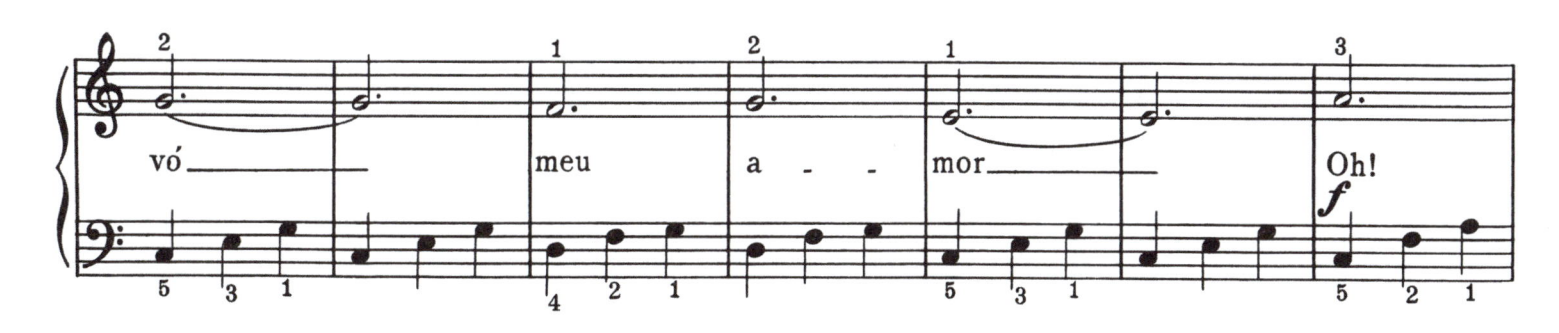

Oh! Vó - vó meu a - mor Dá - me um bei - jo Por fa - vor Oh! Vó - vó meu a - mor Oh! Vó - ó meu a - mor

FRÈRE JACQUES

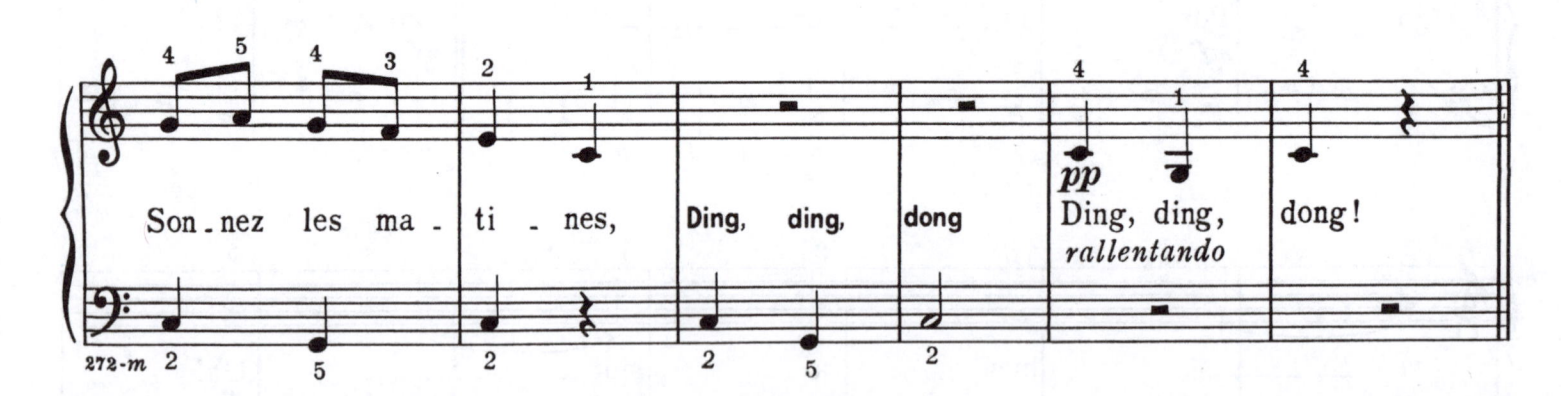

FOLCLORE FRANCÊS

Frère Jacques, Frère Jacques,
Dormez vous? Dormez vous?
Sonnez les matines,
Sonnez les matines,
Ding, ding, dong,
Ding, ding, dong!

MEU MENINO JESUS

ORAÇÃO

Letra e Música de
MÁRIO MASCARENHAS

Com muito sentimento

Meu Me_ni__no Je_sus____ Fi_lho da Vir_gem Ma_ri_a____ Me guar_dai por es_ta noite E a_ma_nhã por to__do o dia____ Me guar_dai por es_ta noite____ E a_ma_nhã por to__do o dia____

As crianças, depois que souberem bem esta canção, devem cantá-la antes de dormir. O Menino Jesus vai ajudá-las muito.

O PASTORZINHO

(DÓ-RÉ-MI-FÁ)

Folclore Brasileiro

Allegretto

1.
Havia um pastorzinho
Que vivia a pastorear;
Saiu de sua casa
E pôs-se a cantar:

Dó-Ré-Mi-Fá-Fá-Fá
Dó-Ré-Dó-Ré-Ré-Ré
Dó-Sol-Fá-Mi-Mi-Mi
Dó-Ré-Mi-Fá-Fá-Fá.

2.
Chegando ao palacio
A rainha lhe falou;
Dizendo ao pastorzinho
Que seu canto lhe agradou.

A BONECA SEM CORDA
VALSA

Música de
MÁRIO MASCARENHAS

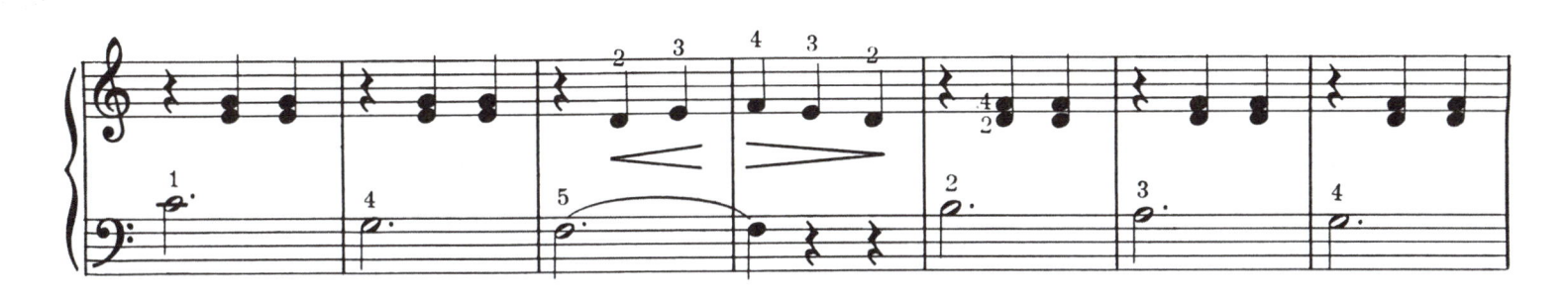

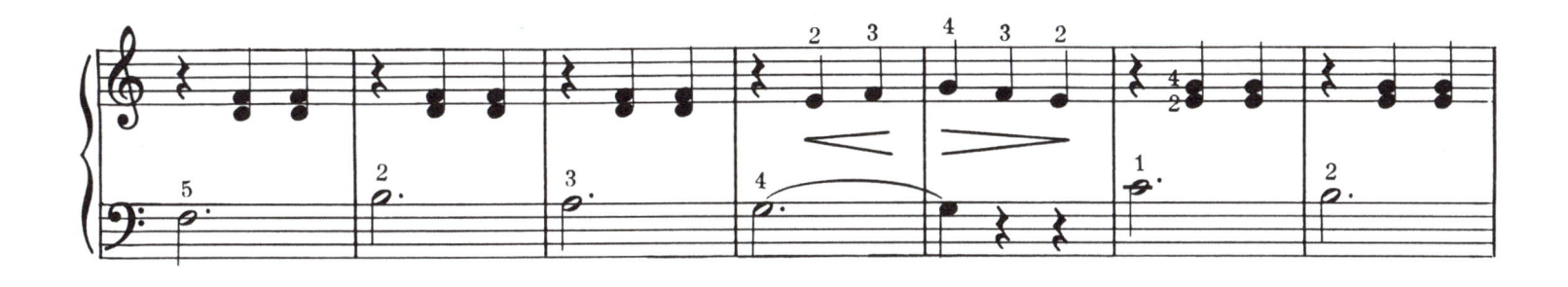

Moderato

UPA, UPA, CAVALINHO

MÚSICA DE MÁRIO MASCARENHAS

U - pa, u - pa ca - va - linho Vai cor - ren - do di - rei - tinho Faz fa - vor de ga - lo - par Te - nho pres - sa de che - gar U - pa, u - pa ca - va - linho Já co - me - ça a noi - te - cer Que - ro ver o meu a - mor Que - ro ver meu bem que - rer

Exercício de Mecanismo

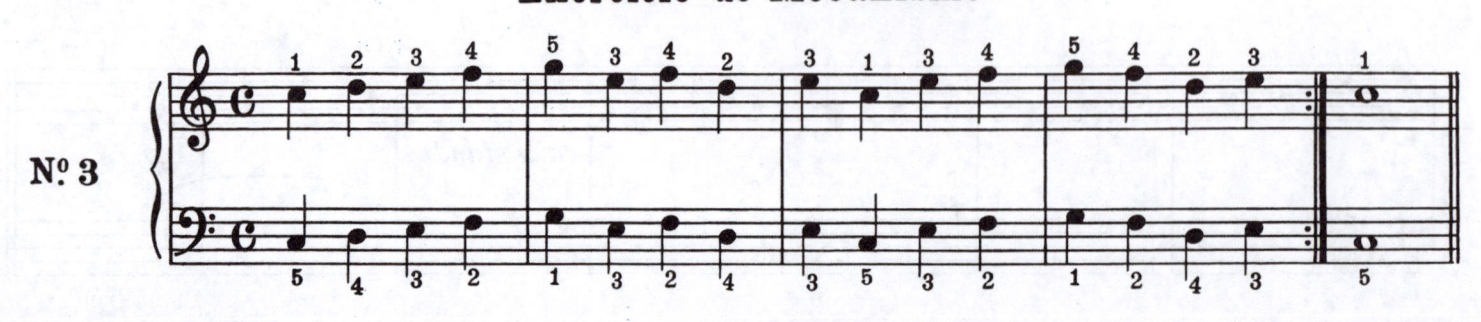

N.º 3

INVENTEI UM AVIÃO

INVENTEI UM AVIÃO
UM SUCESSO VERDADEIRO
P'RA FAZER A VOLTA AO MUNDO
SEM GASTAR MUITO DINHEIRO

NÃO PRECISA GASOLINA
NEM PRECISA DE MOTOR
É PUXADO POR POMBINHAS,
E A HÉLICE É UMA FLOR.

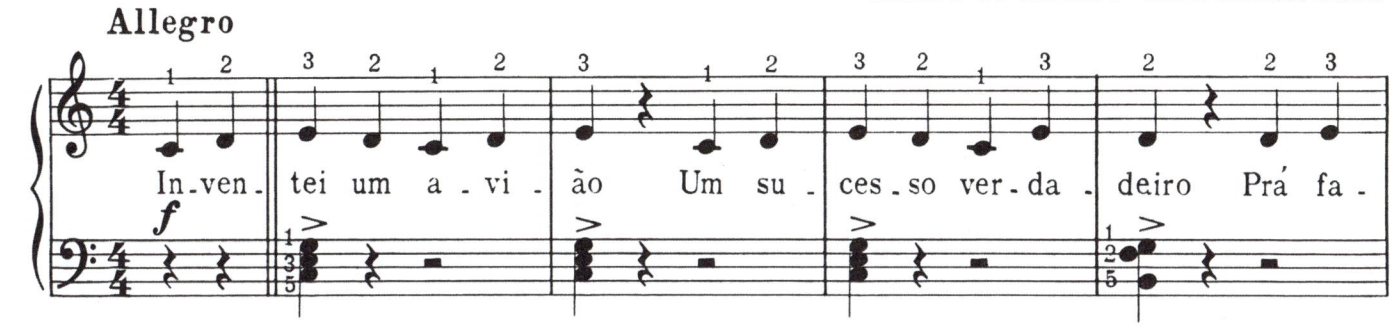

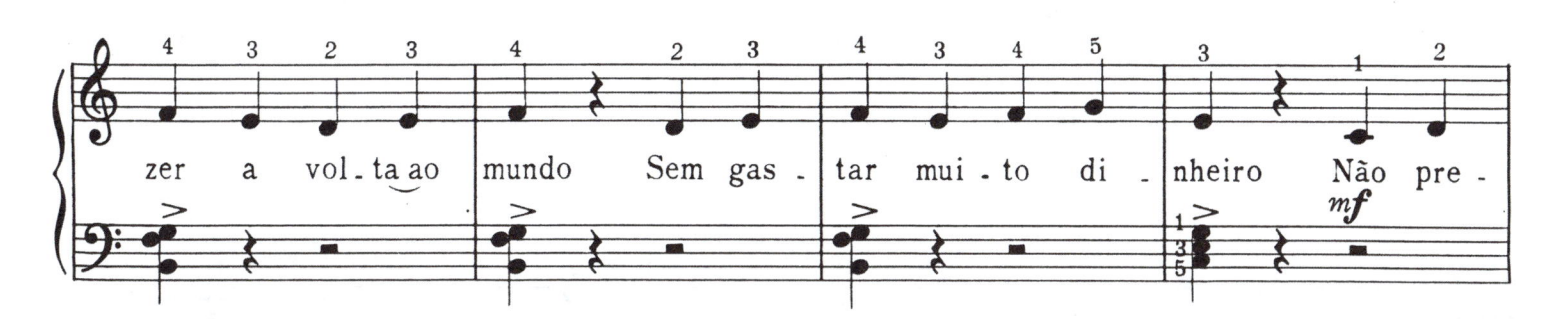

Música de MÁRIO MASCARENHAS

SINFÔNIA DA CRIANÇA
(ODE À ALEGRIA)

L. VAN BEETHOVEN

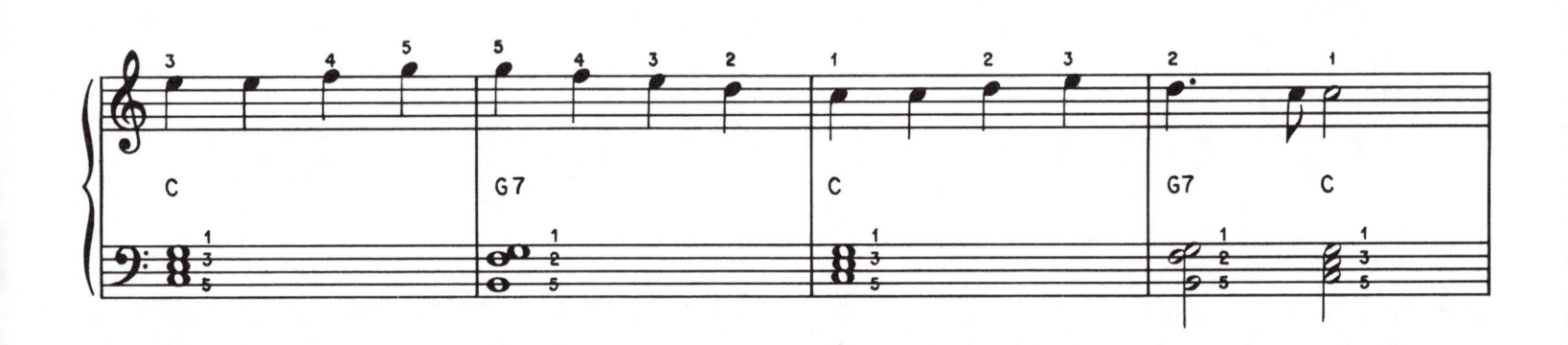

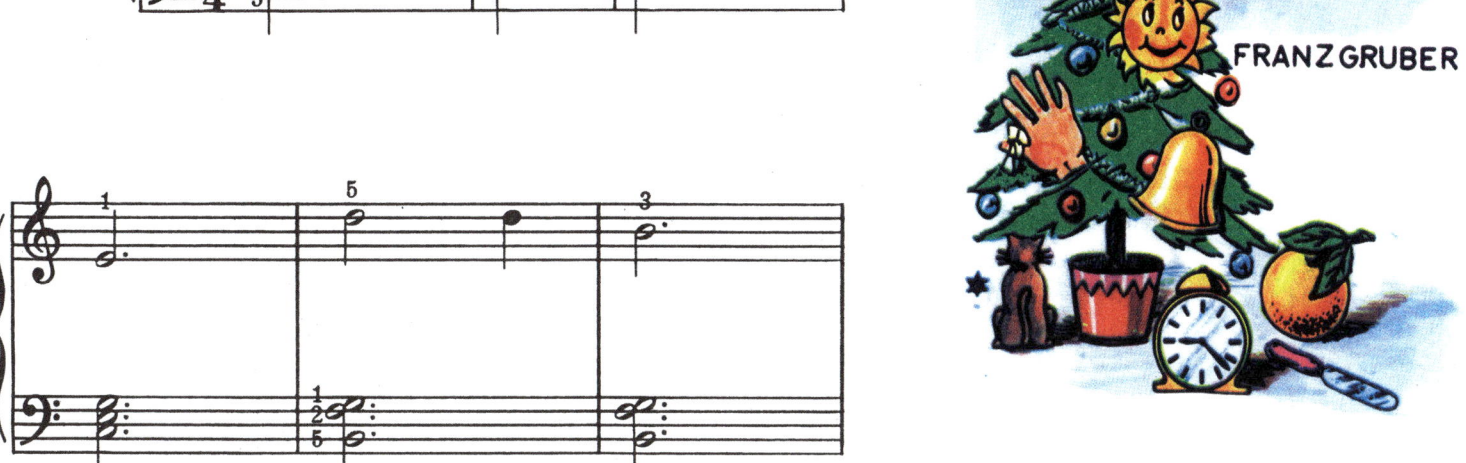

NOITE FELIZ!

FRANZ GRUBER

A GALINHA ESTÁ CONTENTE

Música de MÁRIO MASCARENHAS

Allegro

mf Es-ta ga-li-nha es-tá tão con-ten-te com seus fi-lhi-nhos pa-ra cri-ar___ Ca-da pin-ti-nho que sai do o-vo e-la a-cha gra-ça e põe-se a can-tar___ *f* Có ró có có Có ró có có Que lin-dos são os meus pin-ti-nhos Có ró có có Có ró có có São to-dos e-les a-ma-re-linhos

O ARCO-ÍRIS

MÚSICA DE MÁRIO MASCARENHAS

"QUE BELEZA!"

Lento

p Ve-ja no céu o Ar-co-Í-ris___ Tão co-lo-ri-do a bri-lhar___ Pa-re-ce que vem con-ten-te___ O Fir-ma-men-to en-fei-tar___ A-zul, Ver-me-lho A-ma-re-lo___ Tem Ver-de da cor do mar___ É um ar-co de tan-tas co-res___ Que não me can-so de o-lhar___

rall.   *pp*

CAPRICHO ITALIANO
TEMA

FOLCLORE ITALIANO

CARNAVAL DE VENEZA

VALSA

N. PAGANINI

Allegre.

Ficará muito interessante se o aluno, ao terminar toda a música, voltar a 1.ª parte uma 8.ª acima, somente com a mão direita, permanecendo com a esquerda no lugar em que está. Ao chegar na 2.ª parte, executar as duas mãos no lugar onde foram escritas (*in loco*).

O AMANHECER

PEQUENO PRELÚDIO

MÁRIO MASCARENHAS

BERCEUSE

J. BRAHMS

(Canção para ninar)

DANÇANDO O BOOGGIE

Música de MÁRIO MASCARENHAS

FÉRIAS NA ESPANHA

Letra e Música de MÁRIO MASCARENHAS

Allegro
mf com garbo

Um dia fui visitar a linda Espanha
Este país de lindas flores
Que tem tourada e castanholas
Senti uma saudade tão profunda
Da linda pátria brasileira
Da bela terra onde eu nasci
Brasil, oh! meu Brasil
Brasil, oh! meu Brasil! Olé!

PARA MAMÃE

(PRELÚDIO)

Música de MÁRIO MASCARENHAS

Andantino.

O PULO DO GATO

LINHAS SUPLEMENTARES SUPERIORES

Música de MÁRIO MASCARENHAS

Allegro.

Imitando o pulo do Gato

cruzando a mão sempre

D.C. e FIM.

POUR ELISE
(PARA ELIZA)

Letra e Arranjo de
Mário Mascarenhas

L. van Beethoven

Moderato - Gracioso

Esta peça foi facilitada para que o estudante possa ir familiarizando-se com as melodias e temas dos Grandes Mestres, preparando assim sua sensibilidade artística para a música erudita.

O tom em Lá Menor em que foi escrita esta peça é um pouco alto para cantar, mas o professor poderá transportar para Mi Menor, que ficará o ideal para o canto e também fácil de tocar. Ao lado, para Violão, o tom está em Mi Menor.

Bis
Vou tentar tocar o Pour Elise
Para a Mamãe, para o Papai,
Sei que para mim é bem difícil,
Vou ver se sai, vou ver se sai.

Quando Beethoven o foi compor
Seu coração fez tic e tac
Tic tac tic tac tic tac
Tic tac tic tac tic tac.

III

É um prelúdio lindo que fascina
E faz sonhar todos que ouvem
Vamos pois aqui homenagear
L. van Beethoven! L. van Beethoven!

Assim, você está de parabéns, pois começou a tocar por desenhos de Relógio, Faca, Sol, e acabou o livro com Pour Elise, por música, que é considerada no mundo todo, uma das mais belas páginas da Música Clássica!

Certificado

Certifico que o aluno

_____

concluiu o Método de Piano Mascarenhas "Duas Mãozinhas no Teclado"

_____
CONSERVATÓRIO, ACADEMIA OU ESCOLA DE MÚSICA

_____
DIRETOR

_____
PROFESSOR

_____
CIDADE E DATA

_____
ESTADO